ぼくのがっかりした話

セルジョ・トーファノ 著
橋本勝雄 訳

ぼくのがっかりした話　もくじ

CAPITOLO I.

In cui si comincia col raccontare le delusioni dei miei genitori.

Quando fui bocciato per la terza volta agli esami di licenza elementare, mio padre e mia madre, poveretti, si domandarono se valeva la pena di farmi continuare a studiare; e, per decidere la questione, chiesero consiglio al mio maestro che mi conosceva bene.

— Tempo perso — rispose senza cerimonie il mio maestro che mi conosceva bene. — Credano, quel ragazzo è troppo zuccone.

Allora mio padre e mia madre, poveretti, rinunziarono all'ambizione di vedermi diventare un grand'uomo e decisero di farmi imparare un mestiere. Mio padre avrebbe voluto mettermi a tirare il mantice presso un fabbro ferraio, occupazione che non richiede un'intelligenza troppo sviluppata. Io invece confessavo di sentire una spiccatissima tendenza per fare il garzone di pasticciere. Ma all'ultimo momento mia madre si interpose e ottenne per me da mio padre un altr'anno di prova; in quest'anno io avrei studiato con un precettore, col quale,

...uno col gilet bianco a pippoli neri...

Si chiamava Palmiro Mezzanella...

forse, avrei imparato più facilmente che a scuola.

Così ebbi un precettore, come un principino di sangue reale.

Anzi ne ebbi molti. Una dozzina in un mese; di tutte le specie e di tutte le razze; vecchi e giovani, magri e grassi, buoni e cattivi; uno con la parrucca rossa, uno col gilet bianco a pippoli neri, perfino uno che tartagliava.

Ma tutti, dopo tre o quattro giorni di esperimento, si licenziavano scoraggiati, dicendo a mio padre:

— Tempo perso! Creda, quel ragazzo è troppo zuccone!

Al tredicesimo precettore io pensai fra me: — Il tredici mi porta disgrazia. Questo rimane.

Rimase infatti. E fu disgrazia.

In quel tempo mio padre dovette partire per un viaggio lunghetto anzi che no. Andava in America per contrarre con un impresario di laggiù il diritto di esportazione delle cassate alla siciliana. Al momento di partire, con le valige in mano, mi chiamò e mi disse:

— Benvenuto, io ti ho dato il tuo tredicesimo precettore. Tienlo da conto perchè sarà anche l'ultimo. Ora io parto; se, al mio ritorno, non avrai tratto dai suoi insegnamenti un congruo profitto, sarò costretto a mandarti alla scuola municipale degli allievi spazzaturai.

Siffatta minaccia mi indusse a considerare con occhio benevolo il nuovo precettore. Si chiamava Palmiro Mezzanella: era un giovane alto, con una lunga zazzera di capelli color paglia, magro di una magrezza che arrivava alla trasparenza; negli occhi celesti e profondi aveva il malinconico languore delle persone malate di stomaco.

Le suddette particolarità me lo fecero trovare simpatico. Ma più simpatico mi apparve il suo metodo di fare scuola. Si presentava alla lezione con un monte di libri, ne apriva uno a caso, e diceva:

— Oggi studieremo la grammatica.

Socchiudeva gli occhi, si scompigliava la chioma color paglia e mi raccontava la favola di Alì Babà e i quaranta ladri. Quando aveva finito diceva:

— Adesso passiamo alla geografia.

E attaccava la favola del re e della regina che avevano un figliolo con la testa di cemento armato.

Quante ne sapeva di favole! Tutte varie, tutte belle, tutte da levare il fiato a starle a sentire. E come le raccontava bene! Parlava di fate e di streghe, di maghi e di orchi con una confidenza come se fossero suoi parenti stretti.

...poi il garzone del pizzicagnolo di casa con la sorellina di tre mesi...

Narrava di sortilegi e incantesimi, metamorfosi, apparizioni e sparizioni con la precisione di un commesso viaggiatore che presenti sulla piazza i suoi articoli.

Dalle sue parole scaturivano, vivi come sul lenzuolo di un cinematografo, tutti i personaggi e le cose del mondo della fantasia. Re strapotenti, principesse sospirose, paggi innamorati, cavalieri errabondi, eremiti centenari; palazzi incantati e castelli di vetro, boscaglie paurose e giardini abitati da animali parlanti, inseguimenti attraverso gli spazi dell'aria, scoprimenti di tesori misteriosi, tornei di guerrieri ignoti, lotte tra uomini e mostri, conciliaboli di spiriti e cavalcate notturne di streghe sul groppone di nuvole minacciose; e miracoli strabilianti, come reginotte dai capelli di zucchero filato, principini dal corpo di pescecane, giullari con la gobba piena di marenghi e gianduiotti.

...in quello spolverino c'era mio padre...

Tali narrazioni erano così vive e palpitanti che a poco a poco incominciai a trascinare alle sue lezioni tutti i miei più intimi amici. Prima vennero i due ragazzi del portinaio, poi il garzone del pizzicagnolo di casa con la sorellina di tre mesi, poi il groom del dentista del pianterreno, il quale mi pagava ogni volta con uno dei bottoni dorati della sua casacca verde.

Certe volte si era in venti o trenta. Palmiro Mezzanella socchiudeva gli occhi, si scompigliava la chioma color paglia, ed ecco affluire dalle sue parole un formicollo fantasmagorico di re e reginette, damigelle di corte, alfieri, coppieri, scudieri, staffieri, mazzieri, cancellieri, uscieri; scopatori segreti e suonatori di mandolino; sultani e pascià, moretti e schiave saracene, astrologhi e negromanti, pirati, mercanti levantini e venditori di fichi secchi.

Rimanemmo in tre: mio padre, il precettore, ed io.

Ma un giorno — eravamo in cinquanta e tutti assorti a seguire le meravigliose peripezie del famigerato gigante Margutte che si era nascosto in un barile di alici salate, — ecco che sotto l'architrave della porta apparve lo spolverino grigio di mio padre; in quello spolverino c'era mio padre, in persona.

A tale apparizione tutti i miei amici, come se avessero visto sbucare Margutte dal barile di alici salate, se la diedero precipitosamente a gambe. Rimanemmo in tre; mio padre, il precettore e io.

Mio padre aveva il viso nuvoloso delle grandi occasioni.

— Palmiro Mezzanella — domandò con voce cupa — cos'è che facevate in mezzo a tutta quella folla?

— Facevo lezione, facevo, — rispose candidamente Palmiro.

— Lezione?... Dinanzi a tanto pubblico?... Raccontando delle favole?...

— Certo. E' il mio metodo.

— Ah sì... Allora vedremo l'efficacia del vostro metodo — concluse mio padre, — e cominciò a farmi un esame in piena regola. Ma io ero rimasto talmente a bocca aperta per il suo inatteso ritorno che, se anche avessi saputo rispondere, non avrei potuto articolare una sola parola; onde l'autore dei miei giorni si formò il convincimento che io fossi rimasto quel medesimo zuccone che mi aveva lasciato.

In base a questo convincimento licenziò Palmiro Mezzanella, dandogli gli otto giorni come si danno a un cameriere perchè trovi un altro padrone.

Anche a me diede otto giorni; otto giorni però di pane ed acqua, alla fine dei quali avrei dovuto raggiungere la scuola municipale degli allievi spazzaturai.

Io chinai il capo, rassegnato. Ma gli avvenimenti che sto per raccontarvi mi salvarono dal pericolo di finire funzionario della Nettezza Urbana.

CAPITOLO II.

In cui si seguita col dare una delusione al mio precettore.

Se una dieta di otto giorni a pane ed acqua e la carriera di spazzaturaio per tutto il resto della vita non troppo mi sorridevano, in quel momento il dolore di abbandonare il mio precettore, cui mi ero sinceramente affezionato, soverchiava ogni altra considerazione. Immaginate quindi la mia emozione quando nello spezzare la pagnotta, che mi era stata mandata quella sera per tutto pranzo, vidi uscirne un bigliettino scritto a lapis. Quel bigliettino diceva:

— Mio dilettissimo discepolo, l'idea di separarmi da te mi esulcera il cuore; ma, innanzi ch'io ti abbandoni, voglio salutarti un'ultima volta e lasciarti un prezioso ricordo della mia amicizia. Ti aspetto perciò in camera, stasera. Tuo Palmiro.

Quel biglietto, scoperto in mezzo al pane, mi fu più caro che se vi avessi scoperto una fetta di mortadella; e dentro di me ringraziai la Provvidenza che non me lo avesse fatto mangiare senza accorgermene.

Poi, a notte, quando mi parve che il silenzio e il sonno fossero discesi su tutta la casa, uscii di camera, cautamente, al buio. La mia camera si apriva su un corridoio, alla cui estremità una scala portava, in basso, all'appartamento dei miei genitori, l'altra, in alto, alla camera di Palmiro. Ora, quando fui a quel punto, l'oscurità era tanta che sbagliai strada e, credendo di salire, discesi. Discesi finchè un filo di luce disegnato sul pavimento non mi fece indovinare una porta; a

... mi salvarono dal pericolo di finire funzionario della Nettezza Urbana.

tentoni cercai la maniglia e, mentre la giravo...

— Chi va là? — tonò dall'altra parte una voce baritonale.

Santo Cielo, la voce di mio padre!

— Chi va là? — ripetè ancora più forte la stessa voce.

Non c'era dubbio; era proprio la sua!

※本書に掲載のイラストは、1917年発行の雑誌『コリエーレ・デイ・ピッコリ』に掲載されたものをスキャンして使用しています。一部不明瞭な画像もありますが、資料的価値を踏まえて、オリジナルに近いかたちで掲載しております。

第一章　はじめに、父さんと母さんが、がっかりした話が語られる

ぼくが小学校の卒業試験に三回めの落第をしてしまったので、気の毒な父さんと母さんは、このままぼくに勉強を続けさせるかどうか迷ってしまった。それを決めるために、ぼくのことをよく知っている先生の意見を聞こうとした。

「それは時間のむだですよ」ぼくをよく知っている先生は、はっきり言った。「わたしの言うことをお聞きなさい。この子は頭が悪すぎるんです」

それでがっかりした父さんと母さんは、ぼくを偉い人にするという夢をあきらめて、働かせようと考えた。父さんは、鍛冶屋さんでふいごを踏む仕事をさせようとした。あれならあまり頭がよくなくてもできるんじゃないかというんだ。ぼくはお菓子屋さんの見習いならきっとなれそうだと言いはった。けっきょくは母さんがあいだに入って、一年だけ父さんに待ってもらうことになった。一年間、家庭教師をつけて勉強したら、たぶん学校で勉強するより簡単に勉

強ができるようになるだろうというわけ。

　こうして、りっぱな家のお坊ちゃまみたいに、ぼくは住み込みの家庭教師に勉強を習うことになった。

　しかも、ひとりじゃなく、たくさんの家庭教師がやってきた。その数なんと、一か月で一二人。いろんな種類の家庭教師がいた。歳をとった人に若い人、やせた人に太った人、やさしい人に意地悪な人もいた。赤毛のかつらをかぶった人、黒い水玉模様の白チョッキを着た人。なかには、もごもごとしゃべるので、なにを話しているのかわからない人さえいた。そんなにたくさん来たのに、ひとり残らず、教えはじめて三日か四日もすると音をあげて、自分から辞めていった。そしてみんな、口をそろえて父さんに言った。

「時間のむだですよ。まあ、お聞きなさい。この子は頭が悪すぎます！」

　そうして一三番めの家庭教師が来たとき、ぼくは思った。「一三って数は縁起が悪い。この人は残るかもしれないな」

　たしかにこの家庭教師は辞めなかった。そしてたいへんなことが起こったんだ。

そのころ父さんは、ちょっとした出張旅行に出かけることになった。レモンのグラニータ（シチリアのかき氷）を輸出する契約を結ぶために、アメリカの会社の社長のところに行くことになったんだ。出発するとき、旅行鞄を持った父さんはぼくに言い聞かせた。「ベンヴェヌート、一三番めの家庭教師を呼んでやったぞ。大事にするんだな。この人は一三番めで、最後の家庭教師だ。いまからわしは出かける。戻ってきたときに成績がよくなっていなかったら、清掃員見習いの公立学校に通わせるしかない」

そんなふうにおどされたので、ぼくは新しい家庭教師をやさしい目で見るようになった。

……黒い水玉模様の白チョッキを着た人……

一三番めの家庭教師はパルミーロ・メッザネッラという背の高い若者で、わら色の髪を長くのばし、ほっそりとやせていて、むこうが見えそうなほどだった。深い水色の目をしていて、胃が悪そうで、いつもゆううつそうで、ひよわな感じだった。

ぼくはそんな彼が気にいった。とくに好きだったのは、その教え方だ。彼はいつも何冊も本を抱えて教えにくると、適当に手にした一冊を開いてこう言うんだ。

「今日は文法を勉強しましょう」

そうして彼は目を細め、わら色の髪をくしゃくしゃにして、アリババと四十人の盗賊のおとぎ話を語ってくれた。読み終わるとこう言った。

「今度は地理を勉強しましょう」

そして、ある王様と女王に、頭が鉄筋コンクリートでできた子どもが生まれたというおとぎ話を語りだした。

パルミーロは、とてもたくさんのおとぎ話を知っていた！　どれもみんな風変わりで、よくできたお話で、聞いているとわくわくした。それに話しぶりがとても上手だった！　妖精や魔女、魔法使いや人食い鬼のことを、まるで身近な親戚みたいに親しげに語った。呪文や魔法とか、変身や幽霊について語るようすは、まるで旅商人が広場に品物を並べて見せるみたいにリアルだった。

　パルミーロの話からは、空想の世界の人びとと出来事が、映画館のスクリーンに映されたみたいにいきいきと飛びだしてきた。とても強い権力を持った王様、ため息をついてばかりいる王女、恋に落ちた小姓、放浪を続ける騎士、年老いた隠者。魔法の宮殿、ガラスでできた城、恐ろしく深い森、人のことばを話す動物が住む庭、空を飛んでの追いかけっこ、謎の宝物の発見、見しらぬ戦士たちの争い、人間と怪物との闘い、幽霊の秘密集会、黒雲に乗って夜の空を飛ぶ魔女、綿菓子の髪を持つ女

パルミーロ・メッザネッラという背の高い若者で……

王、サメの体をした王子、ナポレオン金貨（ナポレオン一世のマレンゴでの勝利を記念して発行された金貨）とチョコレート菓子がつまったこぶのある道化師などなど、そんなびっくりする魔法の話だ。

　そんなふうに彼が物語る話があまりにも真に迫っていてわくわくするものだったから、ぼくは仲のいい友だちを少しずつ授業に呼ぶようになった。はじめは守衛さんのふたりの子が来て、つぎに、家に出入りしている食料品店の小僧が、生まれてまだ三か月の妹を抱いてやってきた。それから一階にいる歯医者の馬番がやってきた。馬番は来るたびに、話を聞かせてもらうお礼にと言って、緑の乗馬ジャケットの金ボタンをぼくにくれた。

　友だちが二十人、三十人と集まることもあった。パルミーロ・メッザネッ

……つぎに、家に出入りしている食料品店の小僧が、生まれてまだ三か月の妹を抱いてやってきた……

ラが目を細めてわら色の髪をくしゃくしゃに振りみだして話すと、つぎつぎに夢物語があふれだした。王様に王女、宮廷の女官、僧侶、お酌係、盾持ち、従僕、杖持ち、書記、門番、秘密の掃除人にマンドリン弾き。サルタンに太守、黒人少年にアラブの女奴隷、星占い師に魔法使い、海賊、干しイチジク売り。

ところが、ある日ぼくらが五十人も集まって、イワシの缶づめの中に隠れた悪党マルグッテ（ルイージ・プルチの騎士道物語『モルガンテ』に登場する半巨人）の、びっくりするような冒険物語を夢中になって聞いていると、戸口に灰色のほこりがまいあがった。そのほこりの中にいたのは、なんと父さんだったんだ。

……そのほこりの中にいたのは、なんと父さんだったんだ。

いきなり父さんが現れたので、友だちは、まるでイワシの缶づめからマルグッテが現れたみたいに大あわてで逃げだした。あとに残ったのは三人、父さん、家庭教師、そしてぼくだけだ。

父さんの顔には、めったに見せない暗い表情が浮かんでいた。

「パルミーロ・メッザネッラさん」父さんの声は暗かった。「こんなに集まって、何をしていたのかね?」

「授業をしていました」涼しい顔でパルミーロは答えた。

「授業だと? こんなにたくさんの前で? おとぎ話を聞かせてか?」

「もちろんです。それがわたしのやり方です」

「ああ、そうなのか。それじゃあ、そのやり方で効果があったか見てみよう」父さんはそう言うと、型通りの口頭試験を始めた。でも、父さ

あとに残ったのは三人、父さん、家庭教師、そしてぼくだけだ。

んがいきなり帰ってきたことにあまりにもびっくりしていたぼくは、答えがわかっていたとしても、しゃべれるような状態じゃなかった。こうして父さんは、ぼくが前とまったく同じまぬけなのだと思いこんだ。

父さんはパルミーロ・メッザネッラを辞めさせることにして、ぼくに向かって、「これから先の一週間はパンと水だけだ。そのあと清掃員見習いの学校に行くんだ」と言った。

ぼくはあきらめて、がっくりとうなだれた。でも、これからお話しする出来事のおかげで町の清掃員にならずにすんだんだ。

でも、これからお話しする出来事のおかげで
町の清掃員にならずにすんだんだ。

第二章　続いて、ぼくが家庭教師をがっかりさせた話へ

一週間パンと水だけで、しかもこれから一生ずっと清掃員かと思うとうんざりしたけれど、そのときのぼくにとっては、ほかのどんなことよりも、大好きなパルミーロと別れるのがつらかった。だから、その日の夕食として出されたパンを割ったとき、中から鉛筆書きのメモが出てきたのを見たぼくは、飛びあがるほどうれしかった。メモにはこう書いてあった。

「最愛の弟子よ、きみとお別れすると思うと心が張り裂けそうだ。別れる前に最後のあいさつをして、わたしの愛情を示す大切な記念の品を渡したい。今晩、部屋で待っている。パルミーロより」

パンから見つかったその知らせは、ぼくにとって、モルタデッラ（ボローニャで作られる伝統的なソーセージ）のかたまりよりも貴重だった。気づかずにのみこんでしまわなかった幸運に、心の中で感謝した。

そして夜になり、家のみんなが寝静まるのを待って、暗闇の中、部屋の外に出た。廊下を進むとつきあたりに階段があって、降りる階段は父さんと母さんの部屋へ続き、上がる階段はパルミーロの部屋に続いている。そこまで来てあまりにも真っ暗なので、ぼくは上がるつもりでいたのにうっかり降りてしまった。降りていくと、床に一筋の光がもれていてドアだとわかった。手探りでドアノブを見つけて回しかけたそのとき……

「だれだ？」

ドアのむこうから低い声がした。

ああたいへん！　父さんの声じゃないか！

「だれだ？」同じ声が、今度はもっとはっきりと聞こえた。間違いない。父さんの声だ！

ぼくは答えずに、せいいっぱい上手に猫の鳴きまねをした。

「ニャア、ニャア、ニャア……」

「猫だわ」別の声がした。母さんの声だ。「ほら聞いてごらんなさい……。猫よ」

「妙だな！」父さんの声が言いかえした。「猫がドアを開けるのにノブを回すなんて」

「かわいい猫ちゃん、とても賢いのよ」母さんの声が答えた。それからふたりの声はしなくなった。

とにかくぼくは、もしも見つかったときになんとか四本足の動物っぽく見えるようによつんばいになると、その姿勢のまま階段をそっと上って、パルミーロの部屋の前にたどりついた。そしてドアを開けて部屋に入った。

ぼくを見るなり、パルミーロは駆けよってきて、

「わたしのことづけを見つけたかい？」と小声でたずねた。

「見たよ。大切な記念の品ってどこなの？」

……とにかくぼくは、もしも見つかったときになんとか四本足の動物っぽく見えるようによつんばいになると……

パルミーロは、だまって、というしぐさをした。それから洋服簞笥を開けて、箱を取りだした。そしてその箱を開けて、中からケースを取りだした。さらにそのケースを開けて、小箱を取りだした。そしてその小箱を開けて、包みを取りだした。その包みを開けて、メダルを取りだした。

「このメダルが見えるかい？」謎めかした態度で言った。「これをあげよう。大事にしまっておくがいい。そこには『みどりの小鳥』(人のことばを話す魔法の鳥)の羽根が入っているんだから！」

正直に言って、ぼくはがっかりした。そんなお守りなんてなんにもならない。ピスタチオ味のお菓子トッローネ(砂糖と水飴などを煮つめたソフトキャンディー)のほうがよかったのに！

ところがパルミーロは、ぼくががっかりしたのは信じていないからだと考えたらしい。すぐに付けくわえた。

「いや、でたらめを言っているんじゃない。

……このメダルが見えるかい？

これは正真正銘の羽根さ。『みどりの小鳥』の尾羽から引きぬいたものなんだ」

ぼくはあっけにとられた。

「それじゃあ……」ぼくはおずおずとたずねた。「『みどりの小鳥』って、ほんとうにいたの？」

「ほんとうにいたのかって？　よりによって、ぼくのお気に入りの生徒であるきみが、そんなことを聞くのかい？　ということは、ぼくが語ってあげたのが、すべてほら話だとか、でたらめ、冗談だと思っていたんだね……」

「冗談じゃないけど、おとぎ話――そう、おとぎ話だと……」

「おとぎ話、たしかにそうだ。でも、おとぎ話は、現実の、生きた話、体験された話なんだ。おとぎ話ほどほんとうのものはないんだよ。世界には、夢が敷きつめられたお城に住んで、雲がつまった布団に寝ている妖精たちが、まだたくさんいるんだ。毎晩、大地の底から悪霊が出てきて、金色の月光をまきちらして奇跡の秘薬を作りあげる。おとぎ話、そのとおり。でも、人生そのものがひとつのおとぎ話だ……。そして、すべてのおとぎ話がひとつの人生なんだ……」

パルミーロは、話しながらだんだん説教師のように熱狂してきた。いつもは青白い顔が真っ赤になって、わら色の髪にいまにも火がつきそうだ。

「『みどりの小鳥』がほんとうにいたかどうかだって?」パルミーロは勢いよく話し続けた。

「もちろん、あの小鳥はいたんだ。長靴を履いた猫もいた。七つの頭を持った魔法使いもいた。ファタ・モルガーナ（メッシーナ海峡に蜃気楼を作り出して船乗りを惑わす魔女）もいたんだ。きみが感動して震えながら聞いていた冒険譚に出てきた人たちは、みんな存在したのさ！」

　ぼくは、びっくりして、まるで雲から落ちたような気がした。いや、雲から落ちるどころか、反対に雲の高さまで飛びあがり、その上につきぬけて、まぶしい太陽と青い光に撃たれたみたいな気持ち

……毎晩、大地の底から悪霊が出てきて……

だった。頭はかっかと燃えるように熱く、心臓がハンマーで叩かれているみたいにどきどきした……。血管をどくどく流れたあの熱気はなんだったのだろう。それはパルミーロがぼくに伝えた熱狂だった。パルミーロの信じる気持ちが、百日咳《ひゃくにちぜき》みたいにぼくに伝染したんだ。魅力的な音楽にうっとりするように、ぼくは彼のことばに身を任せた。

「ああ、もしできるなら……、できるなら、きみを散歩に連れだして見せてあげたい。巨大な黄金のかたまりのような丸屋根と、空中に浮かぶ真珠母（貝殻の内側にできる真珠色に輝く層）の塔がきらきら輝く、すばらしい風景を……。一八世紀風の庭で、花壇に千の色の宝石が花開き、ユリの杯に住む妖精が夜露で目覚め、炎の羽根を持つ鳥が木の枝でピエディグロッタ音楽祭（ナポリのピエディグロッタで開催される音楽祭で、ナポリ歌謡の新曲が披露される）の最新のヒット曲を歌うんだ！」

「ねえ、連れてって。連れてってください！」ぼくは手を叩いてすぐに言った。「そこに連れてって！」

「だめだよ、連れてはいけない。お父さんが怒るだろう。それに、どうやって？　魔法の靴は一足しかないんだ」

「なんの靴ですって？」

パルミーロが僕を見た顔は、まるで懸賞クイズのように謎めいていた。そして例の箱から、薄赤色の包装紙で包まれた紙包みを取りだした。ていねいにそれを開いて取りだしたのは、どこにでもありそうな一足の靴だ。

「ねえ」パルミーロは言った。「親指小僧の物語をおぼえているかい？」

「親指小僧って？　人食い大鬼のかぎ爪から逃れて、きょうだいといっしょに人食い大鬼の長靴の中に隠れたあの子どものこと？」

「正確にいえば、一歩で七リーグ（一リーグは四〜五キロメートル）を進める長靴のひとつ

……一歩で七リーグを進める長靴のひとつに隠れたんだ。

に隠れたんだ」

「それで？」

「それで、この靴はあの長靴と同じ革でできている。だから、同じように移動する不思議な力を持っているんだ」

「ぼくに履かせてください！　履かせて！　履かせて！」ぼくは叫んだ。「履かせてよ！」

「きみはどうかしてる！　これをおもちゃだと思っているのか？　いいかい、もし破れでもしたら、どんな靴屋だって直せやしない」

そう言ってパルミーロは靴を箱に戻した。でも、ぼくはすぐに悪だくみを思いついて、テーブルにあったお金の包みを狙ってひじで床に落とした。そうして家具の下にちらばったお金をパルミーロがよつんばいになって集めているあいだに、ぼくは大急ぎで魔法の靴をつかんで、自分の靴の上から履いた。その足で一歩踏みだすと、あっというまに、開いていた窓を乗りこえて星空の下へ飛びだして、家から七リーグ離れたところに来ていたんだ。

……星空の下へ飛びだして、
家から七リーグ離れたところに来ていたんだ。

第三章　ぼくのがっかりの始まり

パルミーロ・メッザネッラは部屋にぼくがいないのに気がついてとてもびっくりしたと思うけど、一瞬にして家から遠く離れたひとけのない野原に来てしまったぼくはもっとびっくりした。はじめのうちは、自動車みたいなこの靴を手に入れたことを喜んでいいのか、それとも夜、家から離れてひとりぼっちになったことを怖がったほうがいいのか、よくわからなかった。

でも、この靴を履いていれば特急列車にだって負けない。二歩歩けば——こうして一歩、二歩で、一四リーグも離れてしまうのだから。こんな調子で歩いていけば、二時間もすれば世界を一周して、父さんと母さんがいる家に戻れるだろう。

そこでぼくは魔法の靴を脱いで、ハンカチにくるんでわきの下に抱えた。夜が明けようとしていたので、その日一日を、どうやって過ごそうかと考えはじめた。

あたりを見回すと、そう遠くないところに、りっぱなお城が建っているのが見えた。ぼくは運を天に任せて、そこに向かうことにした。
　そして、天はこれ以上にないくらいに、ぼくに味方してくれた。りっぱなお城には老夫婦が住んでいた。子どもがいなくて、ずっとほしがっていたふたりは、迷子や家出してきた子ども、さらわれてきた子どもがお城の扉を叩くと、まるで天から授けられたみたいにだれでも歓迎してくれたんだ。

　でも実際のところ、老夫婦はとても恐ろしい姿かたちをしていた。ふたりとも巨大な体をしていた。おじいさんの上半身はすごく大きくて、それより大きいのはその大きなおなか

……おじいさんの上半身はすごく大きくて……

だけだった。その奥さんも旦那の二倍の大きさで、その美しさときたら、顔のまわりの濃い毛が房飾りのようだった。でも、そんな体つきをしていたけれど、ふたりとも丸っこい大きな顔にほほえみとやさしさ、安心させる人のよさをはっきりと浮かべていたので、一目見ただけで、ぼくは大好きになった。

ふたりの前に出たぼくは、息がつまりそうなくらいやさしい大歓迎を受けた。おばあさんはピストルのように音を立ててぼくにキスをして、毛の房飾りでぼくの顔をくすぐった。おじいさんは、その大きくて分厚い手でぼくを傷つけるのが怖いみたいに、指一本の先でそっと撫でた。

「さあ、さあ、わたしのかわい子ちゃん」と言っておばあさんがキスの雨を降らせたので、ぼくの耳にはなにも聞こえないほどだった。

「なんて名前だい？」

おじいさんに聞かれたので、「ベンヴェヌートです、どうかよろしく」と答えた。

すると今度はおばあさんが、「ああ、ベンヴェヌート、いい名前ね。ベンヴェヌート……！ベンヴェヌートちゃん、わたしのベンヴェヌートちゃん！」とうれしそうに言って、おじいさんも、「ベンヴェヌート、とってもベンヴェヌート、すごくベンヴェヌート、よくきた、よくきた！」と歓迎してくれた。

　おばあさんはうれしそうに笑って、赤ん坊みたいにぼくを抱きよせてかわいがった。「このうちにいてくれるでしょう？　ずっといっしょにね」

「ほしいおもちゃはなんでもあげよう。本はなしだ。きみがいいようにすればいい。何度だって好きなだけ、小学校の卒業試験に落第してかまわないさ」とおじいさんが言うので、

「どうして知っているの？」ぼくは目をみはってたずねた。

……その奥さんも旦那の二倍の大きさで……

「きみの顔に書いてあるんだよ。でも、そんなことはどうでもいい。きみが大好きなのは変わらない。むしろ、そのほうがずっと好きなんだ。だって、わたしたちは頭の悪い子が好きだからね」

おじいさんがそう言ってくれたので、ここがぼくにとってぴったりの家だとわかった。

その家にいるあいだ、ぼくは子どもとしていちばん幸せだった。その家にはぼくみたいな子が一〇〇人もいた。暖炉の周りに、老夫婦から愛想よく迎えられた一〇〇人の子がいたんだ。一〇〇人そろって散歩に出かけると——一〇〇人ともみんないたずらっ子だった——ぼくらが歩く街の通りは交通渋滞になった。木曜に映画に行くと、ぼくらの姿を見てお客さんたちは逃げだした。日曜にはジェラートを食べに行き、お菓子屋さん一軒をまるごと食べつくした。そして、老夫婦——ぼくらはおじいさん、おばあさんと呼んでいた——は、でっぷりと太った巨体を引きずって、どこへでもぼくらの後をついてきた。

それはぼくがずっと過ごしてみたいと憧れていた生活だった。大事にされ、甘やかされ、かわいがられて、何をしてもいつもやさしくされた。召使いが服を着せてくれ、脱がせてくれた。ぼくの願いはすべて、どんな気まぐれでもかなえられて、何一つ義務はなかった。おじいさんとおばあさんはぼくの財布を毎日いっぱいにしてくれて、栗粉のお菓子や大麦の砂糖菓子は好きなだけ買い放題だし、本を読んだり先生に叱られたりすることもない……。ぼくは、それまでになかったくらいのびのびと、馬鹿のまま育っていった。

　でも、ある日のこと、ぼくが思いついた願いが初めてかなわないことがあった。それは仔牛のステーキが食べたいという、ささやかなものだった。それまでにもぼくらの食卓にはあらゆる珍味や高級な食べ物が並んでいたけど、肉料理だけは出てこなかったんだ。おじいさん、おばあさんは肉料理の匂いを嗅ぐのさえ嫌がって、ぼくらにも食べさせようとしなかった。これはたったひとつの禁止だった。

「どうして」ある日、ぼくだけの召使いにたずねた。「おじいさんたちは肉を食べないんだろう？」

「まあ！」召使いは答えた。「どうしてでしょう……もしかしたら……むかしの仕事を思いださないためかもしれませんね」

「なんの仕事だったの？」ぼくはたずねた。「ひょっとして肉屋だったの？」

「肉屋なんてとんでもない！　あの人と奥さんはね……」

「なんだったの？」ますます知りたくなって、ぼくは答えをせがんだ。

召使いは、ちょっと待つようにという身振りをした。戸口に行って外をのぞき、だれも聞いていないことを確かめると、鍵を鍵穴に差しこんでしっかりとかけ、ぼくのそばに戻ってきて、ひそひそ声で言った。

「あの人と奥さんはね……」

……戸口に行って外をのぞき……

「なんだったの？」

それでも召使いは安心していなかった。今度は窓に駆けよってよろい戸をおろし、窓を閉じて、カーテンも閉めて叫んだ。「ああ、だれかに言いたくてたまらない！　こんな秘密を抱えているのはたまらない！」

「言ってよ！　おじいさんとおばあさんはなんだったの？」

「ふたりは人食い鬼だったのですよ！」


真っ暗な部屋で、謎めいた声でいきなりそんな真相を聞かされたので、ぼくは思わず飛びあがった。もし天井があと一センチ低かったら、頭で突き破っていただろう。そんなことがあるだろうか？　人食い鬼だなんて？　あのおじいさんが？　あんなにやさしいのに……。砂糖とはちみつ入りの牛乳みたいに甘い人、どんなことをしても子どもに親切にしてくれる人が、人食い鬼だったなんて……。人食い鬼だって……？　つまり、いちばん恐ろしい存在、ぼくら小さな子どもにとって永遠の恐怖だったなんて！

「とびきりの人食い鬼でした！」召使いは断言した。「いちばん乱暴で、いちばん残忍な鬼だったんです。色白で上向きの鼻をした子どもが、とりわけお気にいりだったそうです」

ぼくはとっさに鏡を見た。たいへんだ！　ぼくも色白で鼻が上を向いている！

「いや、怖がらないでください、おぼっちゃん！　いまはすっかり善い人なんですから。歯が抜けて噛めなくなったから、赤ん坊をマデラ酒ソースのスカロッピーネ（薄く切った肉に小麦粉などをまぶしてソテーした料理）にして食べたときにおなかをこわしてし

……おなかをこわしてしまって……

まって、その日以来、豚であろうとなんだろうと肉をいっさい口にしないと誓ったんです。そして、犯した悪事のつぐないとして、財産をつぎこんで、全身全霊、子どもたちのために尽くすことを決心したんですよ」

それを知ってぼくがどんなにがっかりしたことか、とてもことばでは表せない。ほんとうは、たどりついたところが、悔いあらためた人食い鬼の家だったという幸せに感謝するべきだったんだ。鬼がおなかをこわす前にそこに来ていたら、ぼくはいまごろりっぱなシチューかトマトソースにされていただろう。でも、ぼくはその幸せを喜べなかったんだ。むしろ、家庭教師のおかげでやってきたこの世界でもとくに興味深い登場人物、正真正銘の人食い鬼に出あったというのに、その姿が物語のなかで語られ、空想で描かれるようすとはまったく逆だったことにがっかりした。子どもたちを捕まえて肉団子にしようと鶏籠に入れて太らせるどころか、慈善修道女のようにやさしく、いたれりつくせりで甘やかしてくれる。真っ暗な森の深くにぽつんと建つ小屋ではなくて、大理石造りのきれいな城に住んで、エレベーター、暖房器具、ふかふかのソファにグランドピアノを持っている人食い鬼。大きな黒マントに、クジャクの羽根飾りがついた幅広のフェルト帽、そしてベルトにナイフをさげた人食い鬼ではなくて、洗い立ての白いチョッキ、つやのある山高帽、金のつるの眼鏡をかけて、ポケットにいつもキャラメルをいっぱい持っている人食い鬼。肉を食べず、消化不良を恐れ、食欲不振に悩んでいた――そう、みなさん、鬼はなんと食欲不振にも悩んでいたんです！――歯が抜けてしまった人食い鬼。いつも笑っていて、けっしてにらんだりしない人食い鬼。子どもたちに囲まれても、「くんくん、人の子の匂いがするぞ」なんて言ったりしない人食い鬼。つ

……大きな黒マントに、クジャクの羽根飾りがついた幅広のフェルト帽、そしてベルトにナイフをさげた人食い鬼……

まり、人食い鬼ではない人食い鬼だ。おとなしくなった人食い鬼、すっかり終わった人食い鬼、失敗した人食い鬼だ。なんてことだ！　がっかりだ！　ほんとうに残念だ！

こうして、パルミーロが熱狂してぼくに吹きこんだきらびやかな夢の世界は、現実を前にして崩れようとしていた。ぼくが家庭教師に信じこまされたことは、もう揺らいでいたんだ。裏切られた気分だった。

ぼくにとっておとなしくなった人食い鬼は、詐欺師みたいに思えた。この家にずっといたら、落ちぶれたかわいそうな人食い鬼に対してきっと失礼な態度をとってしまう気がした。だからすぐに逃げだしたほうがいい。

夜になるとすぐに、ぼくは自分の貯えを集め、魔法の靴を履いて、住みなれた家を後にした。ここではたくさんうれしいことがあったけど、そのあとでぼくはひどく悩まされ、おおいにがっかりしたんだ。

第四章　つまり二つめのがっかり

一歩……、二歩……、三歩……、ぼくは地図の上に指を走らせるような速さで世界をかけめぐった。四歩……、五歩……、すると暗い夜の中に光りかがやく街が現れた。

「なにかのお祭りかな」と思って、ぼくは足を止めた。しかしなんのお祭りでもなかった。そこは真夜中なのに昼間と同じ生活と仕事のリズムで動いている街だったんだ。路面電車はベルを鳴らして走り、自動車は歩いている人をいまにもはねてしまいそう。店は開いていて、ショーウインドウには明かりがともり、用事のある人たちは忙しそうに、ひまな人はのんびりと行き来している。工場の煙突は煙を吐きだし、新聞やローズマリーのパンの売り子の叫び声が、手回しオルガンの奏でる音楽と混じる。まるで街全体が、日が昇る前になにかを終えようとあわてているみたいだ。

最初は、イタリアの街とまったく逆の生活習慣の、異国の街にきたんだとぼくは考えた。「た

……すると暗い夜の中に光かがやく街が現れた。

ぶん……」ぼくはつぶやいた。「このあたりの人は夜に働いて昼に寝るのかもしれない……」

ところが、夜が明けて地平線がバラ色に輝き、太陽が家々の屋根のむこうに顔をのぞかせて朝の光が窓ガラスに反射しても、そして太陽が天高く昇って一二時を知らせる鐘の音が聞こえても、生活と仕事のリズムはまったく止まらず、落ち着く気配すらなかった。

「ほんとうに変な人たちだなあ」ぼくはひとりごとを言った。「この人たちは休まないのかもしれないけど、ぼくは一休みしたいな」

そしてまるで旅慣れた人のようになにも考えずに、あるホテルの玄関に入った。その名も「注意する目のホテル」だ。

　変な名前だよね。でもオーナーはもっと奇妙だった。血走った眼をした小男で、かぶっている縁なしの黒いベレー帽のへりには目の模様がぐるりと刺繍されていたんだ。そしてそれはたしかに刺繍だったけど、その目は生きていて、オーナーがびっくりしたのといっしょにびっくりしたように見えた。

「部屋をお願いしたいんですが」ぼくは言った。「ベッド付きの部屋をお願いします」

「何付きの部屋ですって?」

「ベッド付きの部屋ですよ」

　オーナーとベレー帽の目は、まるで騎馬像が飾られた部屋がほしいと言われたみたいに、びっくりして見開かれた。

……血走った眼をした小男で……

「たまたま一部屋ありますけど。ほんとうにお望みでしたら」

そうしてぼくは部屋に通された。でもベッドに横になったとたんに気がついたんだ、天井のまんなかに描かれた巨大な目が、ジロジロと不思議そうにこっちを見ている！

その目はまるで悪夢だった！　ぼくがいくら目を閉じたって、闇の中にその目が見えるんだ。枕の下に顔をつっこんでも、まぶたの裏に浮かんでくる。

そこで、ぼくはまずベッドから降りて、窓のよろい戸をしっかり閉めてみた。それでも天井の目は光りかがやいて、照明のようにぼくをずっと照らしている。

そこで今度は窓を開いてテーブルの上にのぼり、ぼくを悩ませるその目を近くから観察してみた。それは、ほんとうに描かれた目で、生きているわけもなく、じっとして動かない。だけどぼくがベッドに入ると、知らない人が天井の穴からこっそりとのぞいていて礼儀知らずにじろじろと見つめてくるみたいに感じるんだ。その視線には、どことなく馬鹿にされているような気がしてきた。ぼくが小学校の卒業試験に三回落ちたからかな？

天井にこんな絵を描いたのは、きっと馬鹿なやつだ！　たとえば、つばめの飛ぶ風景とか、ひなげしの花束とか、ラッパとか、最後の審判とか、なんだってよかったじゃないか！　目だって！　よりによって目を描くなんて。なんて馬鹿な思いつきだろう！

そんなわけで、ぼくは一晩中寝返りを打って、ベッドの上でぐるぐる転がっていた。

身体は疲れきっていたのに、ちっとも眠れなかった。

ぼくはとうとうがまんができなくなって、呼び鈴を鳴らした。ボーイがやってきてベッドのそばにきたけれど、なんてことだ！　このボーイも、白い前開きのシャツのまんなか、ちょうどボタンホールの場所に、針のように鋭い視線をした小さな目をつけていた。

……窓を開いてテーブルの上にのぼり……

もうたくさんだ！　ベッドから飛びだして、服をまとめるとぼくは逃げだした。走って階段を下りながら身支度をした。もうこのホテルに一分もとどまっていたくなかったから。

　でも、ホテルから外に出たとたん、道に溢れている人の動きに圧倒された。避雷針の先に立っていても眠れそうなくらい眠いのに、接着剤で目をくっつけても目をつぶっていられない。よっぱらいのようにフラフラしながら歩いていると『薬屋』の看板を見つけたので、あわててそこに駆けこんだ。

「お願いです、睡眠薬をください！」赤いビロードのソファに座りこんで言ったぼくは、すぐにぎょっとして立ちあがった。ぼくの声に続いて、きしむような笑い声が長く響いたからだ。

　なんてことだ！　こんな失礼な笑い方をするやつはだれだ！　店には人がいない。なのにどうして？　ソファから笑い声が出たんだろうか？　そのソファには、人をからかう口のような破れ目があったんだ。それともこの笑い声は、商品台で輝くひまし油のびんから聞こえるのかな？

「笑うようなことじゃないでしょう！」ぼくはむっとして言いかえした。「眠る薬がほしいんです！」

すると、店に並べられた箱の奥から、まずは緑の大きな眼鏡が現れた。その眼鏡の先にいたのが笑った人物だった。

「睡眠薬だと?」その人は馬鹿にするような、でも驚いたようなようすでたずねてきた。「小僧、この国じゃだれも眠ってはいけないって知らないのかい? 自分がどこにいるのかわかっているか? この国がなんの国か知らないのか?」

「知りませんよ。なんの国です?」

「『眠れる森の美女』の国だ。お前さん、『眠れる森の美女』は知っとるか?」

知っているかって? とんでもない!

……眼鏡の先にいたのが笑った人物だった。

眠れる森の美女を知らない人なんているものか！　悪い妖精に百年間眠らされた、あのお姫様の話を聞いたことがない人なんているだろうか。別の妖精が、宮廷と王国のみんなを同じ時間眠らせて、同時に目が覚めるようにしたというあのお話を！

　ぼくがあの物語を知っているかだって？　もちろんだ！　パルミーロ・メッザネッラは、宮廷の全員がいきなり眠りに落ちてしまう光景を何度も語ってくれた！　王様は笏《しゃく》を持ったまま眠りこけ、衛兵は槍によりかかって眠る。娘たちは織り機に頭をもたせかけて、料理人はお玉に舌をあてて味見

王様は笏を持ったまま眠りこけ……

をしたままコンロの前でいびきをかいている。さらにはハエまでもスープに落ちる直前で眠ってしまう。

　こうしてみんなは一世紀のあいだ眠りつづけ、ある日、勇敢な王子が魔法を解いたんだ。

　ぼくはあの国に来たのか？　それにしても、どうしていまは眠れないの？

「とても単純な話さ」薬屋は言った。「あのときの王女様が、いまじゃ王妃になって不眠症に悩んでいるんだ。以前、彼女が寝ていたときにみんな寝ていたから、いまは彼女が起きているときにはみんな起きていなければならないのさ」

　ぼくはルッカ（イタリアのトスカーナ地方の都市）の彫像《ちょうぞう》みたいに固まった。

「えっ、眠れる森の美女が不眠症だって？」

「それもとびきりの不眠症さ。弛緩薬を何瓶飲んでみても、いくら罌粟《ケシ》をせんじて飲んでも効き目がない。クロロフォルムを使っても眠れやしなかったんだ」

「ぜんぜん眠れないの？」

「まったく。ここ何年間も目を閉じていない。だから、あいにくとおれたちだれひとり、目を閉じることができないのさ」

そのとき、薬局の前を馬車がのろのろと通る音が聞こえた。

「ほら、あれがその彼女さ」薬屋は言った。「彼女がいつもの散歩をするところさ」

ぼくは窓辺に駆けよった。女王を見たのはそれが初めてだった。なにか特別なものが見えるはずだと思っていたんだけど……。

イライラしたようすの二頭の馬と眠そうな御者が引く馬車に、眠れない女王が座っていた。目はとろんとし、長いあいだ起きているせいか疲れた顔をしている。彼女の隣には偉そうな紳士がいて、こちらもぼやけた顔つきで、口をぽかんと開けている。

「口を開けているあの人はだれ？」ぼくは薬屋にたずねた。

「夫の王様だよ。むかし長年の眠りの魔法を解いたあの王子さ。いまはひどく後悔しているだろうよ。あくびのしすぎであごがいかれて、あけっぱなしなんだ。噴水の彫刻の顔みたいに」

「かわいそうな王様！　あんなにずっと口を開けていたら、ハエが何匹入ったかわからないね！　女王さまもかわいそうに。薬はのんでいないの？　治療を受けていないの？」

「そう言うだろうと思ったよ。世界中の医者が睡眠薬を用意したけど、だめだった。魔法使いと魔女がありとあらゆる眠り薬になる薬草をしぼってみたが、まるでだめだったのさ」

「それで？」

「それで、どうしようもないのさ。ただ、ひとつだけ手はあるだろう。むかし宮廷のみんなを眠らせた、あの妖精に助けてもらうのさ」

「その妖精はどこにいるの？」

「どこにいるかって？　さあ、わかるものか。住んでいる場所をだれも知らないし、だれも見つけられなかったんだ」

「せめて、どんな妖精かわかるの？」

「さあね。わしは見たことはない。美人だという話さ。妖精はみんな美人にきまっているからな。なんでも、髪の毛はくすんだ黄金色で、爪は天然水晶なんだそうだ」

薬屋が説明をしているあいだ、ぼくは心の中で、ある勇敢な決心を固めていた。

「薬屋さん！」ぼくは商品台をドンとこぶしで叩いて言った。「くすんだ黄金色の髪と天然水晶の爪をした妖精を、ぼくが見つけてくるとみんなに伝えて！」

ぼくが勢いよくそう言うと、店中にまた金切り声の笑いが響いた。店に入ってきたときと同じように。見ると薬屋も、赤いソファの破れ目も、商品台で輝くひまし油の瓶まで笑っていた。

でも、そんなふうに笑われたって、ぼくはぜんぜん気にしなかった。魔法の靴を履いて、また世界へと冒険に出たんだ。

第五章　ぼくの三つめのがっかりと、最後の驚き

でも、ぼくが一瞬の熱い思いから引き受けた役目は、そうたやすいことではなかった。狭いとは言えない世界で、苗字も名前も住所も、顔かたちさえ知らない妖精をどうしたら見つけられるだろう？　くすんだ黄金色の髪と天然水晶の爪をしているのはわかっているけど、この世にあるすべての髪と爪を見ているうちに、ぼくはきっと老いぼれてしまう。

実際に、あちこちで人に会うたび聞いてはみたんだ。「あの、こんな妖精を知りませんか？」でもその反応といったら、いちばん親切な人でも、蹴っとばしてくるぐらいだった。あの頼りになる靴のおかげでさっさとその場を逃げだせていなかったら、一日でいやというほど蹴とばされただろう。

そこでぼくは、通信社に行こうと考えた。どこにあるか知らなかったので、まずはおまわりさんにたずねてみた。おまわりさんは首から鎖で下げていたガイドブックをさんざんめくって

から、ようやく言った。

「残念だがこの街に通信社はないよ。結婚斡旋所がひとつあるだけだ」

同じじゃないけど、もしかしたら、そこに行けば何か教えてもらえるかもしれないと考えて、ぼくは教えられた「ぼろひげ結婚斡旋所」に行ってみた。


そこはまるでエレベーターの箱みたいに、小さな小さな店だった。客が入るには、主人の「ぼろひげ氏」が道に出なければならないほどだ。その手間をとらせまいと、ぼくは入口の前で足を止めた。でも、そこで立ちどまっ

……でもその反応といったら、いちばん親切な人でも、
蹴っとばしてくるぐらいだった。

たほんとうの理由は、じつはすごくびっくりしたからなんだ。

　ぼくが驚いたのは、ぼろひげ氏のくたびれた顔でも、ぼけてしまったようなその表情でもない。色あせた室内着でも、傷だらけのパイプでもない。驚いたのはそのひげ！　長くて、細くて、薄くなった、色とりどりのひげだった。まるで画家が筆をぬぐったみたいに、ありとあらゆる色がついている。これは本物のひげだろうか？　それとも変装の一部？　おもちゃの付けひげ？　それともなにかの色見本だろうか？

　そんな空想からようやく抜けだして、ぼくはたずねた。

……驚いたのはそのひげ！

「すみません」ぼくはぼろひげ氏に向かってていねいに言った。「あなたは世の中のいろんなことにおくわしいでしょう。くすんだ黄金色の髪と天然水晶の爪を持った妖精について、なにかご存じではありませんか？」

「妖精だと……どんな妖精かな？」ぼろひげ氏は、なかば夢見るような、なかばほうけたような表情で聞きかえしてきた。

ぼくはもう一度、妖精の特徴を言った。ぼろひげ氏は、色とりどりの長いひげから答えをひねりだすように、ひげを上下に撫でさすりはじめた。そして肩をすくめてつぶやいた。

「見たことないな」

「よく思いだしてください。かなり有名な妖精です。眠れる森の美女に出てくる妖精ですから！」

するとぼろひげ氏は、またひげをさすりながら答えた。

「なんと言った？　眠れる森の妖精だと？」

「いえ、ごっちゃにしないでください。眠っていたのは王女様です」

「そうそう、黄金の爪を持った王女様だね……」

「いえ、黄金の爪だなんて！　エジプト人じゃあるまいし！」

「いや、ええと、くすんだ水晶の髪だったかな？」

もうたくさんだ。この人はなにも知らないとわかったところで、ぼろひげ氏は言った。

「わしはなにも知らん。だが、妖精にくわしいやつを紹介してやろう。そいつなら、きっとどんなことだって答えてくれるだろう。会いたいなら、百万長者小路にある仕立屋、ジン・アラの家に住んでいる」

「ありがとう」ぼくは答えて回れ右をすると、百万長者小路に走った。

百万長者小路は街でもっとも貧しい地区にあり、もっとも有名な貧乏人が住んでいた。そのなかでも仕立屋のジン・アラは、物乞いたちのうちでいちばんの金持ちだと自慢していた。

「どうぞ、どうぞ、こちらに！」その汚い家の入口で出迎えてくれた仕立屋は、まるで皇帝ネロの王宮に招き入れるかのような高貴なもてなしぶりだった。「どうぞどうぞ。わたしの借家人は、いま家にいません。お待ちになるなら……」

「お邪魔でなければ……」

「邪魔ですって？　そんなわけはありません！　むしろありがたい。お入りください。こちらにおかけください。スプリング付きのソファがあります。ソファをお使いください」

そうしてぼくは、むりやり布袋の上に座らせられた。その布袋の硬いことといったら、きっと石でもつまっているんだろう。

「お待ちになるあいだ、お望みでしたらご遠慮なく、お茶とか……マラガ酒（スペ

「どうぞ、どうぞ、こちらに！」その汚い家の入口で出迎えてくれた仕立屋は……

イン南西部マラガ地方で作られるデザートワイン）とか……、お菓子サヴォイアルディ（ティラミスに使われる軽いビスケット）はいかがでしょう。おい、アンドレア、バッティスタ、バルトロメオ、ウェルキンゲトリクス（古代ローマに対抗したガリア族の英雄）！」

こうしてジン・アラはありったけの名前を呼んだけど、返事はまったくなかった。

「おやまあ」仕立屋はおでこをぴしゃりと叩いて叫んだ。「今日は召使いが全員出かけているのを忘れておりました。わたしのオウムを散歩に連れていったのです。よろしければわたしが用意しましょう」

そして、あちこちの箱をひっくりかえしてリコリス菓子（甘草の一種リコリスのエキスを固めたキャンディ）をひとかけら見つけると、自分の歯を使ってふたつに割り、気前よく半分をぼくにくれた。そして、地べたに座った。店のどこを見ても、「スプリング付きのソファ」と呼んだ、ぼくが座っている石の袋しかなかったからだ。

「さしつかえなければ、仕事を続けさせていただきますね。すみませんが、仕事がたくさんあるので。お客さんがたくさん、ほんとうにたくさんいるんです。街の貴族のなかでもとびきりの貴族が。底抜けの金持ちです。底抜けといっても、ほんとうに底抜けじゃなく、ことばの上ですが。たとえば、いま手掛けているのは結婚式の衣装ですが、だれのだかわかりますか？あててごらんなさい。カナリア諸島の皇太子の衣装ですよ」

たしかにジン・アラは、古くなって緑色になった黒ズボンのすそを、赤い布の上にさらに黄色い布を重ねてあてて、慎重につくろっているところだった。まるでぼろひげ氏のひげみたい。しかも糸がないから、長い髪の毛を抜いて針に通していた。

ジン・アラは、つくろいながらしゃべりつづけた。彼はとてもやさしく気配りのきく人のようだったので、ぼくは結婚斡旋所のぼろひげ氏について聞いてみようと思いついた。ところが聞いてみるとあの人はぼろひげ氏なんていう名前じゃなくて、結婚斡旋所を開いた経験もないという。

「聞いたことがありませんか」仕立屋はもう一本髪の毛を引きぬくと、話をつづけた。「青ひげの有名な物語を？　そう、ぼろひげと青ひげは同じ人物なんですよ。ひげもいっしょです。ただ、最初の、あの悪名高い色が、赤道直下のオウムのしっぽのような色とりどりになってしまったのです。がまんして聞いてくださるなら、お話ししてあげましょう。

有力な領主だった青ひげは、――みんな知っているように――奥さんと結婚しては、石に変えてしまうのがならわしでした。それで一週間もすると新しい奥さんと結婚できて、その新しい奥さんもまた同じ運命をたどるのです。

『ほら、これが家の鍵だ』青ひげは結婚式の翌日に、奥さんに言います。『屋敷の中をぜんぶ見てごらん。塔のてっぺんから地下室まで。ただし、あそこにある、あの小さい扉だけは、ぜったいに開けたらだめだ！』

……それで一週間もすると新しい奥さんと結婚できて……

もちろん、青ひげの目が届かなくなったとたんに、奥さんは好奇心にかられて、禁じられた扉を開けに行きます。そこは、それまでの奥さんたちが石にされて置かれている部屋でした。彼女たちは絶望しきった、すがるような態度のままで、石になっていました。大理石の髪をかきむしったり、結婚式のコンフェット（参列者にふるまわれる糖衣菓子）のような小石になった涙が鼻のわきで輝いていたり、ギリシャ悲劇の仮面のように口をあんぐり開けていたり。

　家に帰ってきた青ひげは、奥さんが命令に従わなかったと知るとひどく腹を立てて、奥さんがお願いしても耳を貸さず、魔法の合図をします。すると、バーン！　奥さんは大理石工房から出てきたみたい

家に帰ってきた青ひげは……

に固まってしまいます。そんなふうにして青ひげが手に入れた彫像のコレクションは、世界の有名美術館でさえうらやむほどでした。

しかしある日、毎週毎週、新たに結婚式をあげている領主が怪しまれるようになりました。『いったい』みんなが噂しました。『家に連れていかれた娘たちは、どこに行ったんだろう?』そしてありとあらゆる想像がめぐらされました。その結果、彼が花束を手に結婚を申し込みに行くと、母親は戸口をぴしゃりと閉じ、娘は暖炉の煙突に閉じこもるようになったのです。

そこで、青ひげは思いつきました。有名な画家を呼び、安物のラメを使って、ひげをきらめく黄金色に塗らせたのです。これは大成功でした。青ひげが道を通ると、少女たちはその金色のひげを見ようと窓辺に駆けよりました。ひげは揺れて太陽の光にピカピカと輝き、娘はだれもかれも、貴重なひげを持っている男を夫にしたがりました。

それ以来『青ひげ』は『金ひげ』と呼ばれるようになり、新しい犠牲者が続きました。するとやがて金ひげも疑われるようになって、悪口を言われ、あれこれ詮索されて、また母親たちは怖がり、娘たちは逃げだすようになったのです。

そうなると、色を染めなおさなくてはなりません。青ひげは例の画家を呼びました。画家はワニス筆を使って、遠くからでも郵便箱みたいに目立って見える、燃えるような赤色にひげを塗りました。そして赤いひげも使いきるとカフェラッテの色に、そしてカフェラッテ色も通じなくなると今度は薄バラ色にしました。そのたびに、ひげはいろいろな色合いになりました。エメラルドの薄緑から強烈な紫へ、真珠が水に溶けたかのような乳色の哀しい色からパプリカの黄色みたいに派手で陽気な色へ。長いこと、そうして塗り替えながら、家にはつぎつぎに花嫁たちがやってきて、ギャラリーに石像がどんどん増えていきました。

ある日、最後の花嫁が、それまでの花嫁を大理石の

……燃えるような赤色にひげを塗りました。

ように固めていた魔法を解くことができました。女たちは、元の姿に戻ったとたん、大急ぎで家に帰っていきました。

青ひげが帰宅してみると、家は空っぽでギャラリーはがらんとしています。驚きのあまりにその場で死ななかったのが奇跡でした。やがて青ひげは怒り狂って、逃げていった女たちを追いかけました。でも、どこへ行けばいいのか。どこへ、なぜ走るのか、わけもわからないまま、足の向くまま駆けていきました。昼夜かまわず、晴れの日も嵐の日も。

やがて青ひげは、ひげのことなどどうでもよくなり、泥の中を引きずり、泳いで渡る川の水にさらし、通り過ぎる生け垣のイバラに房をひっかけていきました。ひげは日の光で色があせて、雨に洗われて少しずつおおっていた色が表に戻ってきて、それからカフェラッテ色に、そして金色に、ついには生まれながらの青になり、そうした色のすべての跡が残ったのです。

ある日、青ひげが穴の中で死んだようになっているのが見つかりました。そこで引きとられて、病院に担ぎ込まれたのです。それから精神病院に入りました。はじめの病院から出たときには、ほとんどやつれきっていて、精神病院から出たときには、ほとんどほうけたようになっていました。家もお金も、家族も妻もなく、これからどうして生きていけばいいのでしょう？

だから結婚斡旋所を開きました。ですが、これまで一度も結婚が決まったためしがありません。

とろんとした目つきで、道化師の上着のような色とりどりのひげをした男なんて、お客から信用されませんからね」


そこまで言うと仕立屋は口を閉じた。ぼくもだまっていた。青ひげがかつてはどれほどの権力を持っていたか、そしてどんなふうに身をやつしたのかを想像した。巣から逃げだした小鳥みたいに、無知でなにも知らなかったぼくだけど、これまでに人生についてたくさんのことを学んでいた。二日でいきなり大人になった気がした。もういまは子どもじゃない。はやくも年寄りになった気さえしていた。とっさに頭に手をあてて禿げていないかどうか確かめたぐらいだ。


そんな物思いにふけっていると、店の外で足音が聞こえた。

「あの人だ！」仕立屋は飛びあがるように立った。「うちのお客さんが帰ってきた！」

ぼくも立ってその人を出迎えたんだけど、すぐさまスプリング付きのソファのところまで飛びのいた。入ってきたのは、なんとぼくの元家庭教師、パルミーロ・メッザネッラだったからだ！

……すぐさまスプリング付きのソファのところまで飛びのいた。

第六章　四つめのがっかり

盗んだ魔法の靴の持ち主が目の前に現れて――たしかに盗んだんだ――、正直に言って心臓がビクッとなった。ぼくはずっとわきに抱えていたその靴を下に置くと、ひざまずいて目を閉じ、きっと殺されるだろうと覚悟した。

でも、数分間が過ぎても自分がまだ生きているような気がしたので、ゆっくり慎重にそっと薄目を開けてみた。すると、まぶたのすき間から見えたのは、取りもどした靴を抱えて、死んだと思っていた子どもが生きて見つかったみたいにキスをしているパルミーロの姿だった。

大切な靴が見つかったことで怒りは弱まり、さらにぼくがあきらかに後悔していたので収まったみたいだった。実際にパルミーロは、両手を開いて叫んだ。「こちらに来なさい。高貴な心ですべて許してあげよう！」

それでもぼくが動かなかったので、彼もまたひざまずいて、ふたりで抱きあってキスをした。

彼とぼくと靴がいっしょになった。そのあいだ仕立屋はわきに身を寄せ、感動的な光景に心を動かされて、カナリア諸島の皇太子のズボンで涙をぬぐっていた。

「ああ、なんて幸せなんだ！」パルミーロはぼくを抱きしめたまま叫んだ。「わたしのいちばんの生徒を見つけられて！　きみと知り合えてうれしいよ！　きっときみが三度も小学校の卒業試験に落第したのは、わたしにこのうれしさを味わわせるための天の思し召しなんだ！」

　知らない人の前で個人的な秘密を言われたのは気にいらなかったけど、仕立屋には聞こえていなかったらしい。仕立屋は叫びながら踊りだした。

「なんて素敵なことか！　なんて素敵なことか！　こんな素敵な出あいを見られてうれしい！　今日はりっぱな晩餐会を開きましょう。舞踏会、外交官のパーティを。

取りもどした靴を抱えて、死んだと思っていた子どもが生きて見つかったみたいにキスをしているパルミーロの姿だった。

わたしが手配しよう！　貴族仲間を招待しよう。黄金の客間を開放しよう。銀食器を用意しよう。キジを百羽つぶそう。召使いたちを総動員しよう。おい、アンドレア、バッティスタ、アンブロージョ！　ここで待っていなさい。わたしが手配しよう。おおい、バルトロメオ、バルダッサーレ、メリキセデッコ！」

そう叫びながら仕立屋は店から駆けだしていった。ぼろ靴のはがれかけた靴底が、地面にあたってバタバタと鳴っていた。

ぼくとパルミーロがふたりきりになると、両方の口から同じ質問が飛びだした。

仕立屋は叫びながら踊りだした……

「先生はいったい、どうしてここにいるの？」
「きみはいったい、どうしてここにいるんだ？」

「話してください」
「話しなさい」

「先に先生から！」
「先にきみからだ！」

ぼくが先に話すことになって、別れてからの体験をすっかり語って聞かせた。がっかりの連続で、信じていたことが裏切られたと包みかくさず話した。そしてくすんだ黄金の色をした髪の毛と天然水晶の爪をした妖精を探して旅していることを打ち明け、最後に助けてほしいとお願いしたんだ。

「ああ、わかった、助けてあげよう。きみの冒険はすばらしく、気高いものだから。きみも同じようにわたしを手伝いなさい。わたしもやはりある人物を探しているんだ、きみも知っていて、大好きなある人を」

「だれですか？」ぼくはたずねた。

パルミーロは、揚げ物にされるのを覚悟したタラみたいな哀しい目をしてぼくを見ると、長いため息をついてからつぶやいた。

「シンデレラだよ！」

「シンデレラ」家庭教師はわら色の髪をかきむしりながら言った。「その美しさと従順さのおかげでわびしい台所から輝く王宮に移ることができたあのやさしい少女を祝ったことのない人がいるだろうか？　小さな小さな、薄紙でできた床を破らずに歩けるくらいに小さな、あの足を夢見なかった人がいるだろうか？　わたしは彼女の靴屋と知り合いなんだ。彼女の靴は小さくて、作るのに拡大鏡が必要だったそうだ。絵はがきでシンデレラの写真も見たことがある。輝くような美しさに感動し、心を打たれ、その従者のなかでもいちばんうやうやしく忠実に仕えるのだとわたしは誓った。そしていま、わが忠実な生徒よ、実際にわたしが彼女に尽くす機会がきた。いまシンデレラはとても危ないところなんだ。シンデレラを助けなければ！」

パルミーロがシンデレラに夢中なのは、いまに始まったことではないんだ。彼女の名を口にするたびに、パルミーロの声はいとおしそうにやわらかくなって、物語を話すそのことばは、まるで唇の上で花を咲かせるみたいだった。シンデレラ！　女王の中の女王、君臨するために生まれた女性、王国を運命づけられた婦人、臣民のための世界を持つにふさわしい唯一の女性、ビロードに包まれたその小さな足の下に全世界がかしずくよう神に選ばれし女性！　シ

彼女の靴は小さくて、作るのに拡大鏡が必要だったそうだ……..

ンデレラは、パルミーロがずっと熱狂的にあがめてきた理想で、崇敬の的だった。でもこのときの口調は、おびえて心配しているみたいだった。シンデレラは危機にさらされている！　シンデレラを救い出さなければ！

一分間ほどだまってから、ようやくパルミーロは話しだした。

「わがお気に入りの生徒よ、悲しい知らせが届いたのだ。まずわかったのは、シンデレラの夫である国王は、彼女にあまり満足していないらしい。シンデレラは人がよくて美しく、聡明で愛情深いんだが、一方でなんというか、女王にしてはいささか家庭的すぎるんだ。一日中台所で過ごすのが大好きで、宮廷の人びとは騒ぎだすし、王家の作法にまったくそぐわない。国王が家に帰ってくると、シンデレラは部屋や庭、塔や礼拝所にいたためしがない。ずっと台所に立ちっぱなしで料理番を手伝って、ジャガイモの皮をむき、卵を泡立て、お米をとぎ、アニョロッティ（ピエモンテ州で作られてきた伝統的なつめものパスタ）につめる中身を用意して、揚げ物にするメバルに粉をつけている。そのことに国王はとても腹を立てていたんだ。

あるとき、アストリア王国の王女がシンデレラに会いにきたことがあった。出迎えたシンデレラが、作っていた煮込み料理の匂いを客間でぷんぷんさせたので、王女は思わず鼻をつまんだほどだ。全大臣が新年を祝って拝謁したときも、キスを受けたシンデレラの手は、洗い物であかぎれがひどくなり、洗剤の匂いがしたなんてこともあった。

　こうして家事が大好きな奥方のせいで何度も恥ずかしい目にあった国王は、とうとうシンデレラに台所に立つことを禁じたんだ。

　ところが不意打ちで家に帰ってみると、腕まくりをしたシンデレラが、浮き織（布地とは違う種類の糸を使って、一部分を浮かせて織ることで模様を出す織物）の錦の服の上から大きなチェックのエプロンをつけて、大忙しの家政婦みたいなかっこうをしているところに、

……不意打ちで家に帰ってみると、腕まくりをしたシンデレラが……

何度も出くわした。そこで国王は宮廷からすべてのエプロンを追放した。ところが、なんとある晩シンデレラは、パラグアイ大使を歓迎する晩餐会で、舞踏ドレスに大きな油シミをつけて登場したんだよ！

こうしてシンデレラへの王の愛情は冷めていった。その愛情がすっかり消えてしまったのには、もうひとつわけがある。それはシンデレラの姉たちの嫉妬だよ」

ぼくは息をつめて聞いていた。パルミーロは、弁論家が話を続けるあいまにコップの水を飲むみたいに、ため息をのみこむと、話を続けた。

「シンデレラの姉たち、彼女をコンロと流しのあいだに閉じ込めてきたあの女たちは、いまではシンデレラの結婚にひどく嫉妬して、復讐しようとあらゆる手段を考えていたんだ。

それで、どうしたのかというと、ある晩、シンデレラが寝ているとき、あの小さな靴を盗んでつま先に紙玉をこっそり入れた。朝になって靴を履こうとしたシンデレラは、足が入らなかった。王様自身も試してみたが、靴に足が入らない。下女たちもやってみたが、だれひとりシンデレラに靴を履かせることができなかった。

そのとき、それまでがまんしてきた王様の怒りが爆発した。『余はだまされたにちがいない！　この靴を履ける娘と結婚したかったのだ。もし靴を履けなくなったのなら、もう、あの娘ではないということだ。あるいは彼女の足が以前と変わったか、あるいは以前の足は彼女のものではなかったのだ。これは結婚解消に相当する問題だ！』かわいそうなシンデレラは大泣きして、『わたしもこの足も悪くない』と言いはった。王様は『余の目の前から出ていけ』と彼女を追いだした。こうして詩人の嘆息であり夢見る者の魂であるシンデレラは、あの煤だらけのわびしい台所へ姉たちの料理番をしに戻ることになったのだ！」

「そこで」パルミーロは話を締めくくった。「わたし

王様は「余の目の前から出ていけ」と彼女を追いだした。

はシンデレラを見つけて、きらめく王宮に帰らせたい。彼女を嫌った王様を見つけたい。王様に謁見して、義理の姉たちの悪だくみを説明し、彼女たちがだましたことをはっきりとわからせて、悪事の証拠、諸悪の根源である紙玉を見せてやりたいんだ。そして芸術家が崇拝するシンデレラが、その美しさによって一度のぼった王座にふたたび戻るまで、けっして満足しないだろう。これがわたしの使命だ！　きみも助けてくれるだろう？　わがお気に入りの弟子よ！」

「もちろん、お助けしますとも！」

そうしてぼくらは、いっしょに行動することを誓って握手したんだ。

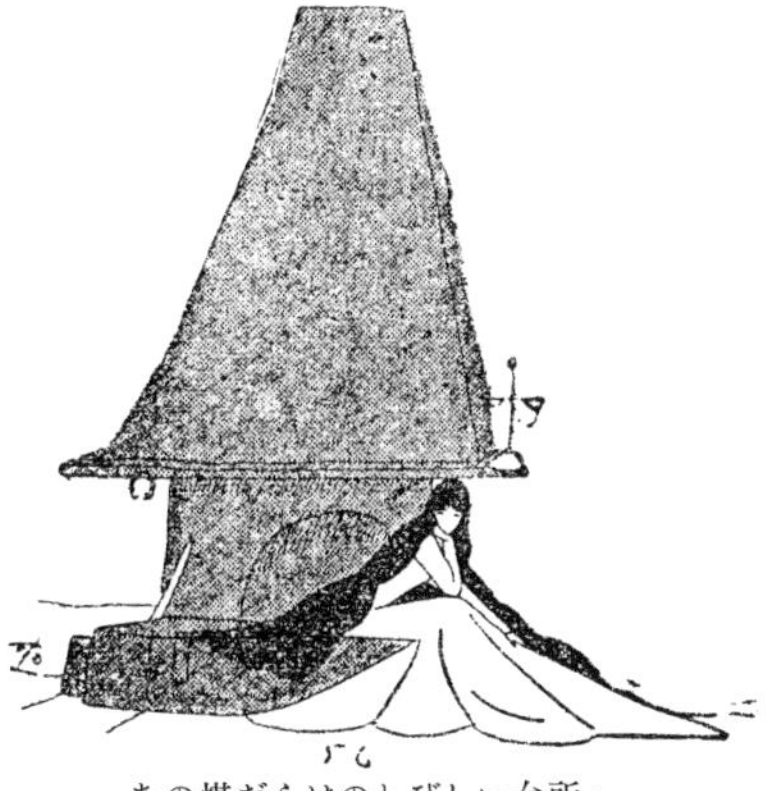

あの煤だらけのわびしい台所へ
姉たちの料理番をしに戻ることになったのだ！

第七章　五つめのがっかり。がっかりしたのはぼくだけじゃなかった

ぼくらが約束したとたんに、仕立屋がさわがしい人たちを大勢引きつれて店に飛び込んできた。それは色とりどりの貧乏な人たちの寄せあつめだった。のび放題のひげにうずもれた老人、やつれてみすぼらしい身なりの女たち、汚物まみれの小僧。みんなどこか体が悪いのか顔色は黄色く、ずだ袋みたいな服のすき間からは、不自由な手足が見える。

「招待客のみなさま、高貴なお客さまがた！」仕立屋は叫んだ。「わたしのお客さんと、小学校の卒業試験に三度も落第した友だちのために、おおいに騒ぎましょう！　落第ばんざい！　陽気にやりましょう！　金持ちばんざい！」

すると集まった貧乏人たちは声を合わせて、ぼろ服を振りまわした。

しかしパルミーロは、手をあげてその騒ぎをおさめた。「ありがとう、ありがとう、ありがとう」彼は言った。「ありがとう、わたしの寛大なる友よ。こんなに祝ってくれてありがとう。だが、あなたが

たのご招待を受けるわけにはいかない。わたしと友人はすぐに旅に出なければならないんだ」

「出発されるのですか？」仕立屋はがっかりして叫んだ。「出発されるのですか？　この屋敷から出ていかれるのですか？　わたしのもてなしをお断りになるのですか？　わたしの接待を拒否されるのですか？」

「そうではありません。ご安心ください。急ぎの用のために、よそへ行かなければならないのです」

「そうですか、出発しなければならないのでしたら」仕立屋は言った。「わたしから贈り物を差しあげます。人間ができるもっとも貴重な贈り物を」

てっきりぼくは、リコリス菓子の半分をくれるの

色とりどりの貧乏な人たちの寄せあつめだった。

だろうと思った。ところが、仕立屋は首にかけていた袋から紙切れを取りだして、ぼくらに渡した。質屋の引出証だ。

「泥棒に盗まれるのが怖くて、質屋に預けておいた品物です。値のつけようのないくらいの価値があります。これがその引出証です。必要なら受けだしてください。人類が手にしたことがないような、すばらしい宝物が手に入るでしょう」

「宝物ってなんですか？」ぼくらは興味をひかれて聞いた。

「それは、それはランプです！」

その答えにぼくはなんとも思わなかったけど、パルミーロは反対にまるで真正面から雷に打たれたみたいだった。彼は両手両足、口と目を広げて叫んだ。

「なんとおっしゃった？　ランプとおっしゃったのですか！　ならば、考えてみれば……ランプということは……。あなたはジン・アラ、つまりアラ・ジン。ということは、あなたはアラジン、あの魔法のランプのアラジンなのですか？」

「わたしの話をご存じなのですか？」

「知っているかですって？　『千夜一夜物語』で読みました！　なんてことだ、アラジンだよ、わかるかい？」パルミーロはぼくに向かって言った。「仕立屋の孤児が魔法使いに洞窟に連れていかれて、ランプを盗んでくるよう命じられた。けっきょくランプは彼のものになった。奇跡を起こす万能のランプだった」

「そう、わたしはその男なんです」仕立屋は、つつましやかに両手を開いて答えた。「わたしがアラジンです。そして質屋に預けてあるのは、あの魔法のランプです。こんなみじめな暮らしをしているくせに、どうしていつもぜいたく気取りで金持ちのようにたいそうなことをしゃべるのか、これでおわかりでしょう。身についたむかしの習慣のせいなんです。

両手両足、口と目を広げて叫んだ……

とはいえ、かつて実際にわたしの身の回りにあった富に比べたら、いま自慢している想像上の富などたいしたことではありません。おわかりでしょう。ランプをこすっただけで、電子ブザーを鳴らすようにたちまち魔人が現れて、とてつもない望みだってかなえてくれた。ひとつの街ぐらい大きな城の数々、宝石がちりばめられた衣装、黄金が流れでる泉、ナポレオン金貨が採れる井戸、骨董画のギャラリー、ペットの野獣、自動車、砂利ではなくルビーと真珠を敷きつめた庭園……。夫婦で使っていたベッドはダイヤを粉にしたつめもので、家の床材はエメラルドとトパーズのかたまりの寄木造り。食事のときのお皿は大きな黄金製で、食卓から下げるのに屈強な奴隷が四人がかりで運ぶほどでした。いちばん下っぱの料理人でも、すくなくとも自分専用の別荘一軒と宮殿ふたつを持っていました。

わたしたちが持っていた富は、ことばで語りつくすことはできません。妻である愛するバドルウルバドゥールは身に着けた宝石が重すぎて、夜にはへとへとに疲れきっていました。わたしのシャツとパンツには、大粒のサファイアによって描かれた花文字がついていました。ふだんの夕食の席でも、かならず数千人の会食者たちが並び、終わったときにはテーブルの銀食器がみなに分け与えられました。住まいを掃除するのには、ゴクラクチョウの羽とハチドリの頭の羽毛でできたほうきを使っていました。家はきらびやかで光りかがやき、それに比べたらビザンチンのいちばん豪奢な宮廷でもかすんで見えたことでしょう」

仕立屋の話に、貧乏人の群れは驚きの声を上げ、興奮した顔でよだれを垂らした。ぼくとパルミーロもことばを失った。しかしぼくらの驚きはなによりも、かつての豊かさといまの貧しさとの落差だった。いったいどこに、財宝すべてが消えたんだろう？

するとアラジンが、「どこにですって？」と、だまっていたぼくらの疑問を読みとったように話しだした。「どこって、ああ！　消えたんですよ、なにもかも。欲望を止めるのが遅すぎたん

妻である愛するバドルウルバドゥールは身に着けた宝石が重すぎて、夜にはへとへとに疲れきっていました……

です。力を最後まで使いきろうとした。何度も何度も魔法のランプをこすったので、少しずつすりへっていき、しまいには、ランプの形が消えてしまいました。そして形といっしょに魔法の力も消えてしまったのです。

ある日、妻がわたしに言いました。

『千羽のスズメが引っぱる馬車がほしいわ！』

『そりゃいい！』そう答えたわたしは、魔人を呼びだそうとランプをこすりました。こすっても、魔人の姿が見えません。もっと強くこすりました。でも、だれも出てきません。

『あの怠けもの！』妻は文句を言いました。

『きっと眠りこけているんでしょうよ。もっとこすってみなさいよ』

わたしは猛烈な勢いでランプをこすりまし

こすればこするほど、ランプはすりへって……

た。こすればこするほど、ランプはすりへって、ランプがすりへるにつれて、財産が魔法のように消えていきました。留め金から宝石がとれ、着ていた浮き織の服が消えて、目の前の家具がなくなり、彫像は姿をくらまし、召使いたちは影のように薄くなって、城がまるごと消えさりました。

わたしはさらに強くこすりました。するとベッドも絵画も金庫も、衣装一式も、宝石のつまった貴重品箱も、四頭立ての馬車も、鳥小屋も、台所も、庭園も、そそりたつ尖塔も、幾重にも重なるパゴダ（仏塔）も、すべてが強烈な突風に吹きとばされたみたいに消えていきました。まるで大仕掛けの手品のようです。最後に手元に残ったのは形を失ったランプの名残で、しんちゅうのかたまりとして質屋に預けました。

わたしの妻、愛するバドルウルバドゥールは、ぜいたくな暮らしにすっかり慣れていたのですが、通いの女中として鶏肉屋に働きに出なければなりませんでした。そしてわたしは、父親がしていたむかしの商売に戻りました。この商売をしていたおかげで父は貧しく息を引きとり、わたしはいまこうして貧乏に暮らしているのです。

わたしの欲望と妻の気まぐれを忠実にかなえてくれていたあの魔人はというと、ある日、道で物乞いをしているのを見かけました。失業してそんな状態になっていたのです。話しかけてみたのですが、こちらが話す内容もわからず、こちらがだれかもわかりません。ほとんど耳が聞こえず、頭もおかしくなっていたのです！　かわいそうな魔人！」

　仕立屋が語りおえると、トタン屋根に雨が降りそそぐような轟音が響いた。あわれな話に感動して、集まっていた貧乏人たちが泣きだしたんだ。

失業してそんな状態になっていたのです。

第八章　六つめのがっかり

身を滅ぼしたアラジンの話にとてもショックを受け、ぼくらは心を締めつけられる思いで仕立屋とその仲間たちと別れて、魔法の靴を履いて歩きだした。

ぼくとパルミーロは、だまったまま並んで歩いた。魔法の靴の両方を利用するため、それぞれの右足に靴を履いていた。だから、右足を踏みだすと七リーグ進むけど、左足を出すとせいぜい五〇センチしか進まない。そんな妙な歩き方をしていたので、すぐに疲れてしまって、つぎに見かけた宿屋に泊まることにした。しばらく行くと、「赤ずきんの宿」という大きな看板のある家が現れた。

「ここに泊まろう」パルミーロは言った。「もしかしたら、なじみの顔に会えるかもしれない」

呼び鈴を鳴らすと、すぐにドアが開いて、オオカミが出てきた。片手にろうそくをかかげて、女中のようなエプロンをつけている。

「こちらにどうぞ」オオカミはやさしい声で言った。「どうぞ、お入りください。女主人は上におります」

「女主人というと、どなた?」パルミーロはたずねた。

「なんですって! だれだと思っているんですか、もちろん赤ずきんですよ。赤ずきんはご存じでしょう?」

「もちろん知っています。おばあさんといっしょに、オオカミに食べられた女の子でしょう?」

「そのとおりです。そのオオカミがこのわたしです」

ぼくとパルミーロは大きく一歩うしろに下がった。でもオオカミの態度がとてもやさしそうだったので、ほっとした。オオカミは言った。「もう赤ずきんは子どもじゃないんです。いまではりっぱな大人の女性になり、結婚して六人の子が生まれて、六人の小さな

オオカミが出てきた。
片手にろうそくをかかげて……

赤ずきんがいるんです。見たらわかりますが、かわいい六人のおちびさんですよ」
「おばあさんは亡くなったのでしょうか、おばあさんは？」
「なんてことをおっしゃるんですか。かわいそうなおばあさんはお歳のせいでずいぶん病気がちですが、まだ生きておられますよ。お会いになりたければ、上の階にいらしてください。どうぞ、どうぞ」

赤ずきんの家族はとても幸せそうで、みんなからうらやましがられていた。彼女は稼ぎのいい旅館の主人と結婚して六人の子が生まれて、その六人みんなが、頭に赤ずきんみたいな赤いあざがあったんだ。

ぼくらを出迎えたあのオオカミも、赤ずきんの家族の一員だった。オオカミは、旅館でも家でも、下男、女中、料理人、子守り、家庭教師、洗濯女、使い走りとして働いていた。

オオカミは、力仕事から細かな手作業までどんな用事でも引き受けて、熱心に、明るくきちんとこなしていた。泊まり客がドアの外に置いた靴を磨いたり、客室までバターつきパンとカフェラッテを運んだり、足を洗うお湯を運んだり。それから年上の赤ずきんたちを学校へ、幼い赤ずきんたちを公園へ、それぞれ車にはねられないように手をつないで送っていく。六か月の末っ子を新米ママみたいに愛情こめてあやしてやり、ガラガラ声をひそめて森の哀歌をうなる。コーヒーの豆をひき、家具の金具を磨き、花壇に水をやり、下着をつくろい、ワインに浮かんだ油をとりのぞき、さらには男性のひげをそり、女性の髪を美しく巻き、犬のトリミングまでやってのけた。オオカミが作るラグー（ミートソース）やタラのフライは、皇帝の宴会に出てもおかしくない出来ばえだった。朝早くから夜遅くまで、あらゆる用事を忙しくこなし、いつもきれいなエプロンをして、いつも勤勉で、うやうやしくほほえんでいた。ほほえみといっても、オオカミのほほえみだったけれど。

　オオカミがそんなにせっせと苦労して尽くすのにはわけがあった。オオカミは、大きな罪、しかもふたつの大きな罪を、みんなに忘れてもらうか、せめて許してもらいたいと思っていたんだ。忘れてもらうのは難しかったと思う。オオカミがしでかした事件のことは、たくさんの童話作家が伝えていたし、おなかをへらしたオオカミが赤ずきんとおばあさんをぺろりと二口で平らげてしまったことについて、子どもたち向けの本が何冊もくわしく書かれていたから。

オオカミの事件は広く知られることになって、猟師がオオカミのおなかを切り裂いて、まだ消化されないで生きていたふたりの犠牲者をひっぱりだしたことはみんなが知っている。でも、ほとんどの人が知らないのは、昼間はお針子のところで働いていた赤ずきんが、ザクロのように切り裂かれたおなかをかわいそうに思ってていねいに縫いあわせ、オオカミの命を救ったことだ。命を取りとめたオオカミは、やさしい赤ずきんの行ないに対して自分の悪行を悔いあらため、助けてくれた赤ずきんにずっと忠実に仕えると誓ったんだ。

オオカミがそんなにせっせと苦労して
尽くすのにはわけがあった。

そんな話を赤ずきんはぼくらに語ってくれた。話を聞きながらぼくらは夕食をとり、親切なオオカミは、パリのレストランのギャルソンみたいな見事なスタイルで給仕していた。

夕食のあとで――もう夜も遅くなっていた――ぼくらは部屋に入った。

パルミーロは部屋のまんなかに立って、ぼくらのこれからの旅行の計画を立てはじめた。ぼくは、そのことばを子守唄にぐっすりと眠りこんだ。

どれくらい眠ったのかはわからない。オオカミが女の子を食べてしまい、オオカミの胃の中でおばあさんが見つかったという夢を見ていたとき、ドアを何度も叩く音に目が覚めた。

「どなたです？」ノックに応えてパルミーロがたずねた。彼はあいかわらず部屋のまんなかに立って、これからの旅程を考えていた。

「わたしです」すがるような大きな声がした。「お願いです。来てください、来てください。おばあさんが死にそうです！」

ドアを開けてみると、料理人のエプロンをつけたオオカミがいて、大粒の涙を流していた。

ぼくとパルミーロは、すぐにオオカミについていった。ガウン姿の赤ずきん、シャツ姿の夫、なんとかあわてて服を着た六人の小さい赤ずきんが、絶望のあまりおたがいの髪をつかんで引っぱりあっていた。

「おばあさんが死んじゃう！　おばあさんが死んじゃう！」

「医者だ」パルミーロが言った。「医者は呼びましたか？」

「あらまあ！」悲しみのあまり正気を失っていた赤ずきんは言った。「医者のことを忘れていました！」

「わたしが呼んできます」オオカミは叫ぶと、一足飛びで窓を越え、夜の闇の中に消えていった。

ぼくらはおばあさんの部屋に入った。かわいそうなおばあさん！　骨ばった顔は、もう亡くなっているようだった。唯一生きているとわかったのは、おなかがみるみるうちにふくらんでいくからだった。

ぼくらはおばあさんの部屋に入った。

オオカミはなかなか戻ってこない。というのも、そんな時間だから、戸を開けてくれる医者を見つけるまでずいぶんあちこちの戸を叩く必要があったし、しかもこんな悪評のある動物についていこうという医者はほとんどいなかったからだ。ただひとりその勇気があった医者は、奥さんが動物サーカスの調教師で、猛獣と接する方法をよく知っていたからきてくれた。実際に、オオカミの背にまたがってぼくらの前に現れた医者は、片手に鞭、もう片手に槍を持ち、両脇に大きな二丁拳銃を差していた。瀕死の病人の往診にきた医者というより、まるでサラセン人に立ち向かうグエリン・メスキーノ（アンドレア・ダ・バルベリーノ

サラセン人に立ち向かうグエリン・メスキーノみたいだった。

が書いた騎士道物語の主人公）みたいだった。

医者はまたがっていたオオカミから下りて武器を置くと、病人の枕元に近寄った。ところが運の悪いことに、この医者は小児科専門だったんだ。だから専門分野の年齢を一世紀も前に超えていた病人を前にして、とまどっているみたいだった。

その医者は日ごろの癖で、気まぐれな子どもも相手にいつもしているみたいに、おばあさんに話しかけた。

ふくらんでいくおなかを軽く叩くと、人差し指で唇とあごのあいだをくすぐって、裏声で繰りかえした。「舌を見せてごらん、おちびちゃん。痛いんだね、かわいそうなめんどりさん！」でも、やさしくしてもおばあさんが答えないと、今度はそれに腹を立てて、おなかに平手打ちを食らわした。おばあさんのおなかは太鼓みたいに鳴りひびいた。

「先生、先生」赤ずきんは医者にすがりついた。「おばあさんはどうしたんでしょうか。教えてください、なんの病気でしょうか？」

「うむ、なんでもありません。肥満ですな。運動が必要です、それで十分だ」

「運動ですって！　身動きすらできないのに！」

「体を動かす必要があります。運動、体操、スポーツをさせてください。そうすれば治りますよ。少し自転車で走ったらいい」

「先生、ご冗談でしょう」

「冗談など言いませんよ。自転車に乗せなさいと言ったんです。もう一度言いましょうか。それでも足りなかったら、なたね油の湿布か桑の実のシロップ、虫下しをちょっと試してごらんなさい」


そう言うと医者はまた武器を手にして出ていってしまい、だれもそれを引きとめなかった。


そこでぼくの家庭教師が口を出した。

「がっかりすることはありません、みなさん」家庭教師は言った。「人間の科学が役に立たないとしても、まだ魔法が残っています。頼りになる唯一の学問です。世界には、大学卒で免状持ちの有名な医者よりずっと物知りの魔女がいる。魔女の魔法は、人間のちっぽけな医療ではおよびもつかない奇跡を起こすのです」

「そのとおりだわ」赤ずきんは言った。「でも、魔女って、どこに行ったら会えるの？　わたしたちは魔女の知り合いはいないもの」

「わたしはひとり知っています」オオカミが口をはさんだ。「巣の隣の洞穴に住んでいました。探しに行ってきます」

そうしてふたたびオオカミは姿を消すと、三十分後にひとりの魔女を、服のすそを歯でくわえてむりやりに引っぱってきた。でも、かわいそうな魔女は途中で恐怖のあまり気を失ったから、患者の手当てができるように、先に彼女の手当てをしなければならなかった。

魔女は塩をなめさせられて、お酢を嗅がせられて、ようやく意識を取りもどすと、老女の枕元に連れていかれた。魔女ははじめにそのおなかを調べて、ますますふくれて大きくなるのを見ると、ポレンタ（トウモロコシの粉で作ったお粥）に火が通ったのかを確認するみたいに指を一本あてて調べた。

「まだ望みはあるね」魔女は言った。「どうにか治してあげたいけれど、それにはオオカミの肝臓の油がコップ一杯いるわ」

「なんですって?」不思議な顔をして赤ずきんはたずねた。

「オオカミの肝油よ」

「だれが売ってくれるの?」

「売ってくれるひとなんかいやしないよ。オオカミの肝臓をくれたら、わたしがそれから油をとってあげるけど」

「まあ魔女さん、こんな時間にどこでオオカミの肝臓が見つかるでしょう?」

「そんなこと、わたしは知らない。でも、ここの家にはオオカミがいるでしょ。そのオオカミから肝臓をもらったら?」

「まあ、かわいそう。そんなことをしたらオオカミが死んでしまうわ」

「殺せばいい」

「まあ、そんなことできません。オオカミは家族なんです。息子同然に大事にしているのです」

「いまおしゃべりしている時間はないんだよ。おばあさんとオオカミとどっちが大事? おばあさんを助けるには、オオカミを手放すしかないのよ」

　赤ずきんとその夫、そして赤ずきんの子どもたちは、だまって顔を見合わせた。きまずい空気が流れた。「すみません、魔女さん」赤ずきんはくいさがった。「ほかの動物、犬とか、猫とか、ニワトリとかの肝臓でどうにかなりません？」

「ニワトリですって！　オオカミの肝臓がいますぐいるの！　五分もしたら手遅れだよ」

　このとき迷いを断ちきるように、オオカミ本人が割ってはいったんだ。

「わたしの愛するご主人がた」オオカミはまるで彫像みたいなポーズをとって叫んだ。「すべて聞きました。おばあさんの命を救うには、わたしの命が必要なんだとわかりました。それならそうしましょう！　気にしないで、わたしを殺してください。わたしはこの身を捧げます。死んで恩人の方々を幸せにできるなら満足です」

　だれも決心がつかなかったので、オオカミ自身がナイフを魔女に差しだした。魔女はまったくしりごみしなかった。ナイフをつかんでためらうことなく切りつけたんだ！　みんなはぞっとして目を閉じた。しばらくして目を開けてみると、魔女はオオカミの腹に手を差しこんで、まるでビンゴの数字を袋から取りだすみたいに探っていた。そしてしばらくかきまわしてから、魔法に必要なオオカミの肝臓を引きずりだしたんだ。

　その魔法は、いかにもおもしろそうな見世物という感じだった。魔女は肝臓をつかんで鍋に入れだした。まるでいまから自慢の料理を作るといった雰囲気だった。ただ、その作業をしながら魔女は、トルコ語でののしるような、わけのわからない呪文を唱えていたんだ。それから塩、こしょう、ワイン、虫取り粉をひとつまみ、灰をひとにぎり、にんにくをひとかけら、箱半分のマッチを加えて、すべてを火にかけ、ゆっくりとかきまぜながら、やはりあの呪文を唱えていた。ときどき骨ばかりの長い腕で、鍋の上で謎めいた身振りをした。鍋で煮ているのが重要人物の肝臓であるかのように、うやうやしく。それからお玉ですくってそこに指を入れ、指をなめて味見をした。

　ぼくらはみんなその魔法を見ていて、物珍しく感じながらも敬虔な気持ちでいっぱいになっていた。なかでもぼくは、だれよりも注目して見ていたと思う。同じことができるように、おぼえておきたかったんだ。でも、魔女が唱えるトルコ語の呪文のひとつも聞き取れなかった。

火にかけられたごった煮のようなものがスモモのジャムくらいに濃くなると、魔女はそれを湿布薬にして、おばあさんのおなかに貼った。

するとたちまち効果が奇跡のように表れた。大きかったおばあさんのおなかは、しぼんでいく風船のようにどんどん小さくなりはじめた。やがて三十分もしないうちに完全に平べったくなった。

そして、なんと……おばあさんはそのまま死んじゃったんだ！

ときどき骨ばかりの長い腕で、鍋の上で謎めいた身振りをした……

第九章　七つめのがっかり

赤ずきんの家を後にしたぼくらは、あまりにもつらい光景を目にして、なんともいえないほどがっかりし、そのうえおなかがすいていた。やがてぼくらは立ちどまって、階段にうずくまっていた物売りから一ソルド（通貨の単位。複数形はソルディ）の干し栗を買った。小柄な老人で、売っていた干し栗と同じくらいしわだらけで干からびていたけど、喜んで売ってくれた。

「ああ、おきれいな旦那さまがた！」とその老人は叫んだ。「おやさしい気持ちは報われる

小柄な老人で、売っていた干し栗と同じくらい
しわだらけで干からびていたけど……

でしょう。ごらんください。クルミです。これを差しあげます。効き目のあるお守りです。どんな危険にあっても、どんな不安にあっても、なぐさめと助けが必要なときはこのクルミを割ってください。中から救いが現れることでしょう」

ぼくらは礼を言って先に進んだ。でも何歩か歩きかけてから、パルミーロが言った。「あのご老人は物知りらしい。役に立つことを教えてくれるかもしれない」

そこで引きかえした。「ご老人」パルミーロが声をかけた。「シンデレラという娘について、何か知らないか?」

「シンデレラですって？　もちろん。彼女のことならなんでも知っています。夫である国王が妻の彼女を嫌いになったその日から、ずっと国王は後悔して苦しみの日々を送っているんです。国全体がその喪に服していて、それで国王は〈なぐさめようのない王〉と呼ばれています。王国にもなぐさめがなく、ちょっとでもほほえむ者がいれば、その場で首つりにされる」

「王国は遠いのですか?」

「いえ、ここから少し先です。ほら、この道をずっとまっすぐ、つきあたりまで行きなさい。

そして右に曲がる。そこに山がある。山を越えたら左に曲がってください。森になります。森を抜けたら右に曲がる。湖が見えてきます。それを渡らずにぐるりとまわっていくと、目の前に街が現れます。それがお探しのところですよ」

ぼくらはもう一度老人にお礼を言って、歩きだした。まっすぐ進み、右に曲がって、左に曲がって、また右に曲がった。山を越えて、森を抜け、湖をめぐった。こうして、〈なぐさめようのない王〉のいる、なぐさめようのない街に到着した。

でも、ぼくたちがたどりついてみると、城壁の中に入る前から、横笛とアコーディオンの楽しげな演奏が聞こえてきた。

「音楽で心をなぐさめようとしているんだ」パルミーロは言った。「つらい魂を甘くなぐさめてくれるのは音楽だけだ」

でも、入ってみると街にはさまざまな旗がはためいて、垂れ幕や毛織物がそれぞれの窓に飾られていて、よろい窓にはのぼり旗と紙の輪飾り、提灯がつるされ、造花をあしらった飾り綱が張りめぐらされていた。

「この地域の葬儀用の幕なんだろう」パルミーロは言った。

「われわれは喪を示すのに黒を使うが、ここでは色とりどりなんだ」

その風習はちょっと変わっていたけど、ぼくの目になによりも変わって見えたのは、ここの住民たちが、悲しみを表現する方法だった。道にいる人たちは、笑ったり歌ったり、踊ったりハンカチを振ったりしている。帽子に飾りをつけて、窓から紙ふぶきや色紙のテープ、トウモロコシの粉をまいている。

「絶望したんだ。絶望しておかしくなったのだ」パルミーロは説明した。

でも、先へ進めば進むほど、その「絶望」は激しくなって、

道にいる人たちは、笑ったり歌ったり、踊ったり……

まるでカーニバルのような陽気な騒ぎになった。ぼくらは街に入るときにはとびきりの葬式用の顔を用意していたのに、気がついてみると、暗い顔をしていたのはむだだったどころか、場違いでかえって目立っていたんだ。

「街の習慣に合わせないといけないいな。そうでないと袋だたきにされてしまう」パルミーロは言った。

だから、あまり気乗りしなかったけど、ぼくらはバレリーナのように飛びはねたり、ぐるぐる回りはじめた。そしてタランテッラ（テンポの速い舞曲）を踊るみたいにしてぼくらは進んでいき、人ごみとその大騒ぎをやりすごした。

そうして王宮にたどりつくと、空き家のように静か

……バレリーナのように飛びはねたり、ぐるぐる回りはじめた。

でひっそりとしていた。門の前にも窓辺にも、人ひとりいない。見張り番も門番もいなければ、名刺を出せという召使いもいない。静けさを乱すのは、遠くからお祭り騒ぎがこだまする音だけだ。

止める人がだれもいなかったので、ぼくらは玄関から入って、大階段を上って、広間をつぎつぎと通りぬけ、玉座の間にたどりついた。ついには王の寝室にまで入りこんだ。でも、だれもいなかった。扉をすべて開けて、客間から浴室まで見てまわった。庭園を探索して、ワイン蔵と屋根裏を点検して、洋箪笥の下や戸だなの中までのぞいたけど、だれもいない。

でも食堂には、あらゆるワインと果物が載った大きなテーブルが準備されていた。そして、人のいない台所には、手の込んだ料理が山ほど鍋の中にほったらかしにされていて、だれも見ていない回転式グリルで何千もの若鶏がひとりでにぐるぐる回っていた。盛大な宴会の準備がされているのはあきらかだった。いったい、だれのために？　そこには犬一匹いないのに、だれのためだろう？　ということは、王様からいちばん下の皿洗いまで、みんなが、ぼくらが見かけたあのカーニバルの最終日のような大騒ぎに加わっているんだろうか？

だれかが戻ってくるまで、じっとがまんして待つしかない。そこでぼくらは、物見の塔のテラスに登った。テラスは日が照っていて、じりじりと太陽に焼かれていた。しかも、待っているぼくの空っぽの胃はまるで子犬のように泣いていて、イライラしっぱなしだった。あんなにたくさんの食事が用意されていた場所から、鳥モモ肉のひときれも持ってこなかったなんて、ぼくはなんて馬鹿だったんだろう！

さんざん太陽に焼かれたあと、大騒ぎをしている群衆の音が遠くから聞こえはじめた。それがだんだんと近づくにつれて、ばんざいと叫ぶ声やファンファーレだとか、太鼓の音や大砲の轟音、ほめたたえる歌や拍手喝采、鐘の音も聞こえてきた。

そのうちまわりの道という道から、警備兵、羽飾りをつけた召使い、給仕、女中、コックの大群がとつぜん現れた。彼らは息を切らして王宮に駆けこんで部屋と廊下にちらばってゆき、一瞬にして、それまで一度も持ち場を離れなかったかのように待機についた。

しばらくすると、正面の門に、エメラルド色の大理石でできた四輪馬車が到着した。馬に乗った胸甲騎兵（胸当てなどの鎧をつけた騎兵）百人がそれを引っぱり、さらに胸甲騎兵百人が横を歩き、馬車に乗った胸甲騎兵百人がその後に続いた。最後に大臣、役人、侍従、書記官、町議会議員、お連れの女性たち、上院議員、派手に着飾った富豪、大物ジャーナリスト、判事、貴族、司教、警察代表の行列がどこまでも続いている。さらに最後尾では、住民のみんなが騒々しく歓声をあげていた。

　四輪馬車には、男がひとり座っていた。金髪で冠をかぶっているところをみると、きっと王様にちがいない。でもその隣に、別の冠が別の頭の上に乗っていて、それは女の人の頭だった。

　ぼくとパルミーロはとっさに顔を見合わせて、目を見て、同じことを考えているとわかった。街で結婚式があげられたんだ！　なぐさめようのない王様がなぐさめられた。つまり王様の再婚だ！

　そう思ったパルミーロは、「ああ！」と言っただけだったが、その「ああ」には、がっかりした気持ちがつまっていた。そして彼は階段を駆けおり、ぼくも追いかけた。最初の踊り場で、ぼくらは、ゆうゆうと上がってくる大きなおなかにぶつかった。こんなりっぱなおなかをしているのは、執事のだれかにちがいない。しかもその執事は、ゴムでできていたのかもしれない。

なぜならぶつかったぼくらは、上の階まで跳ねかえされたからだ。

「教えてください、教えてください」パルミーロはまた執事のところに下りていって、あわててたずねた。「教えてください、今日、王様はどうされたのですか?」

「どうされたかですって? 結婚したんですよ。お相手は美人ですよ!」

「美人と結婚したですって!」パルミーロはそう言って、壁とゴムのようなおなかのすき間をひじでかきわけて、階段を駆けおりた。ぼくも後を追った。

正門に着くと、王様が四輪馬車から下りるところだった。

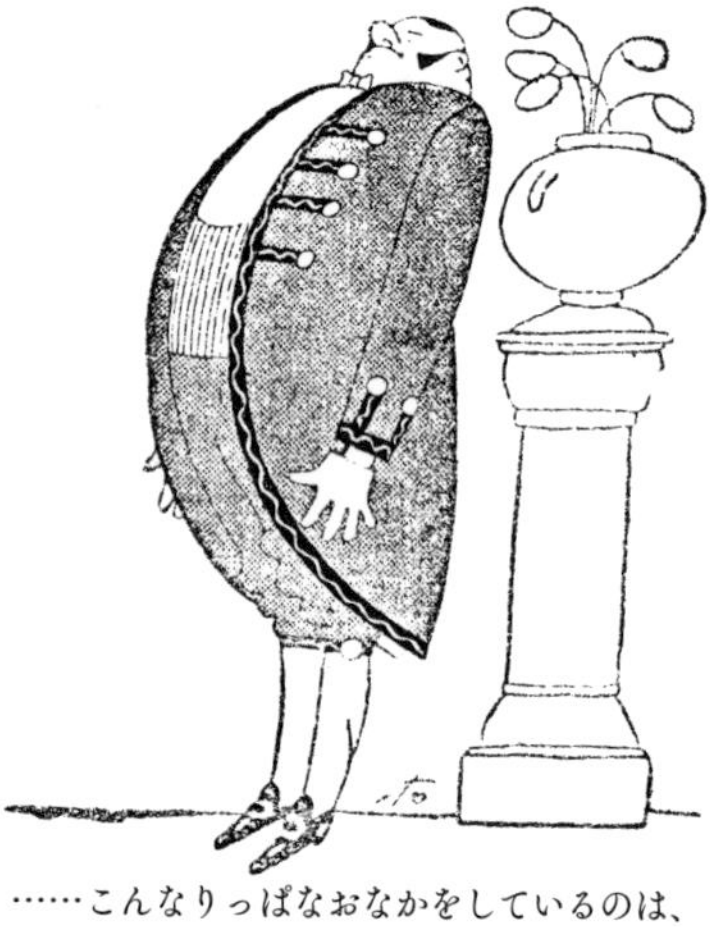
……こんなりっぱなおなかをしているのは、執事のだれかにちがいない。

「正義を！　正義を！」パルミーロは王様の足元に身をひれふして叫んだ。「陛下、どうか正義をお願いします！」

びっくりした国王は、片足を脚踏み台の上に、もう片足を宙に浮かせたまま、固まってしまった。胸甲騎兵がぼくらにとびかかり、女王は気絶し、群衆は大騒ぎになった。ぼくらふたりはずっと繰りかえしていた。

「正義を、正義を！」

「だれのことを怒っておるのか？」王様は言った。

「物乞いをするみじめな連中よ」気絶から意識が戻った女王は言った。「小銭を渡してやりなさいな」それからまた気絶した。

「いいえ、違います！　お金がほしいのではありません」パルミーロは叫んだ。「正義を求めているのです。陛下、シンデレラに正義を！」

「シンデレラのために！」とぼくも繰りかえした。

「シンデレラだと？　その名は、どこかで聞いた気がする」王様は言った。

「そうだわ」また目を開けた女王がさえぎった。「シンデレラでしょ？　宮廷のあの洗濯女よ」

そしてまた気絶した。

「いいえ、陛下、シンデレラはあなたの妻です、最初の、ほんとうの妻です。薔薇のつぼみのように小さな足の王女です。彼女は姉たちにだまされたのです。陛下、シンデレラのために正義をお示しください」

「シンデレラのために！」ぼくも声をあげた。

すると女王はすっかり意識を取りもどした。

「まるっきり頭がおかしいわ」女王は叫んだ。「精神病院に入れてしまいなさい」

「そうですな、おかしなやつらだ。牢屋に入れてしまいなさい」おなかが大きくせりだした男が言った。シルクハットに注射器の刺繍がついているので、宮廷の医師だろう。

「おかしなやつらだ。首をくってしまえ！」騎馬と歩きと馬車の胸甲騎兵三百人が叫んだ。

「おかしなやつらだ。首を切ってしまえ！」上院議員、大臣と有名人たちの行列が叫んだ。

するとやがて街のみんなが大声で言い出した。「おかしなやつらだ。八つ裂きにしろ、井戸に放りこんでしまえ！」

　パルミーロはそのあいだ、お祈りのように短いつぶやきを繰りかえしていた。「正義を、陛下、正義を！」でも、もうぼくはいっしょに声をあげることができなかった。心臓が小さく縮こまって、のどまで上がってきた気がして、ぼくらの運命を決める王様をただじっと見ていた。

　ところが王様はやっかいごとを避けるため、ぼくらをどうするかという処分を法務大臣に任せた。そしてまだ宙に浮いていた片足を地面におろすと、新しい女王と腕を組んで行ってしまった。

　その法務大臣はというと、ひどくおなかがすいていたみたいだ。ぼくらの言うことを聞くこ

……新しい女王と腕を組んで行ってしまった。

とはなく、胸甲騎兵の隊長にぼくらを引き渡すと、王宮へ駆けこんでしまった。

「やれやれ！」胸甲騎兵の隊長は、日本風の小さな扇であおいでいた。「汗びっしょりになってしまった……。シャツを着替えに行かねば。シッラ、この厄介者たちがどうしたいのか、ちょっと聞いておいてくれ」

そうして隊長は元帥シッラにぼくらを渡すと、扇であおぎながら行ってしまった。

そのあいだに、だんだんと人の姿が見えなくなった。騎馬と歩きと馬車の胸甲騎兵は兵舎へと引き上げていった。行列していた招待客は、いまごろ前菜を食べているだろう。街の人たちは、即興の節

その法務大臣はというと、ひどくおなかがすいていたみたいだ。

をつけて、「おかしなやつらだ、八つ裂きにしろ」と、ふざけたはやしことばのように歌いながら消えていった。

人がいなくなって、日の照りつける広場に、ぼくらふたりだけが元帥と残された。王宮からは、食器がぶつかるにぎやかな音が聞こえて、炒めた牛肉のおいしそうな匂いが漂ってきた。

第十章　八つめの、最高のがっかりと結末

胸甲騎兵の元帥は、大きな甲冑の重さで縮んでしまった小男で、ぼくらに近寄ってくると、甘いほほえみを浮かべて叫んだ。

「よろしければ、わたしについてきてもらえますか?」

「どこへでしょう?」パルミーロがたずねた。

「牢屋ですよ」

このことばを聞いたぼくは、足がセモリナ（硬質小麦の粉）のおかゆになったかのように、へにゃへにゃと崩れる気がした。牢屋はいや

……胸甲騎兵の元帥は、大きな甲冑の重さで縮んでしまった小男で……

だ！　牢屋になんかぜったい行きたくない！　牢屋に入ったことはなかったけど、それがどんなところかはよく知っていた。　恐ろしい暗闇ばかりで、いやな匂いがこもっていて、雄鶏くらい大きなネズミがどうどうと散歩し、囚人のひげには苔が生えて、クモの巣が張っているんだ！　パルミーロもそんなことになるのはうれしくなかったと見えて、顔が薄められた牛乳みたいに青ざめていた。

「どうぞ、こちらへいらっしゃい」またしても甘いほほえみを浮かべて元帥が言った。「ご遠慮なさらず、どうぞいらっしゃい。自分の家と同じくらい居心地いいですよ。昨日までならお仲間がいたんですがね。それも、たくさんの。牢屋はいっぱいだったんです。でも今日、結婚式があって、王様が全員に恩赦を下されました。すべての罪状が赦された！　みんな自由の身になった。ところが、信じられないでしょうが、だれも出ていきたがらなかったんですよ。わたしたちは憲兵を呼んで、むりやり牢屋から追いだしてもらわなければならなかったのです」

　そして三度めの甘いほほえみを浮かべると、歩きだした。ぼくらふたりは、自動的にあとに続いた。

がっかりした気持ちがどんどん強くなっていた。それまで体験したたくさんの冒険で驚き、疲れておなかがへってきて、遠く離れたわが家を思いだして、その家を飛びだしたことを後悔し、いま置かれている危険な状況とか、雄鶏くらい大きなネズミがいる恐ろしい牢屋とか、ほかにもいろんないやなことを頭の中で思いうかべて、気が動転してしまった。つまり、ぼくは怖くて体がぶるぶると震えていたんだ。

「かわいそうなぼく！　運の悪いベンヴェヌート！　こんなに若くて、こんなに不幸だなんて。子どもなのに牢屋行きだ。でも、それがお似合いなんだ。ぜんぶぼくのせいだ……ぼくのせい？　いや、ちがう。パルミーロのせいだ。そうだ、ぜったい、この人のせいだ。あんな信じられない夢物語を信じさせた。冒険の気まぐれを吹きこんだ。ろくでもない魔法の靴を盗ませた。それでこんな遠くまで来ちゃったんだ。この人、すべてこの人のせいだ。この悪党！　なにも知らないぼくを利用したんだから、牢屋入りだって当然だ。でも、こうなると予想しておくべきだった。わら色の髪をした男なんて。いや、わらどころか、まぐさか雑草の色だ。追いだされた家庭教師たちのほうがよっぽどましだった。黒点のついた赤いかつらをかぶっていた口のまわらないやつだって……」

とつぜん元帥は立ちどまった。このとき彼は笑っていなくて警戒するような不思議な態度だったから、なにかたいへんなことが起こるんじゃないかと、ぼくはおびえた。元帥は、あたりにだれもいないのに、そばに寄って小声でこう言った。

「わたしは、あなたがたが王様に嘆願されていた人を知っていますよ。シンデレラはわたしの知り合いです！」

パルミーロはびっくりして飛びあがった。

「シンデレラをご存じなのですか？」

「もちろん。かわいそうな女性だ、なんて運の悪い」

「シンデレラをご存じなのですね？　どこにいるかご存じですか？　それなら連れていってください。会わせてくれたら晩ご飯をおごります」

「それで牢屋はどうします？　牢屋に行かねばならないのをお忘れです」

「そうでしたね。でも、急ぐことはない。あとで行きましょう。いまはシンデレラのところに連れていってください。お昼をおごります」

元帥はまた甘い笑顔を取りもどし、歩きだした。甲冑に押しつぶされた体を揺すりながら、古い煤だらけのあばらやに挟まれた急な細道が続く迷路をフラフラと歩いた。

「ああ、かわいそうなシンデレラ」パルミーロは嘆いた。「なんということか、わが純真なる女王よ、どこに消えてしまったのか」

ぼくらは、けわしい小道をえんえんと歩いた。道から見える家は、貧しく汚れていた。でもその時間には、だれも見かけなかった。住んでいる人たちみんなが宴会に招待されていて、おなかをいっぱいにするために出かけているのだと、元帥は説明してくれた。甲冑にうずもれた彼の声は、まるで生きたまま埋められているみたいに聞こえた。

やがて広場に出ると、半分が木、半分がぼろでできたバラック小屋のような家の前で元帥は足を止めた。バラックの前では、恐ろしい顔つきをしたおばあさんが、いねむりしていた。

「パンタジレーア、こちらのお客さんがシンデレラに会いたいそうだ」

「どうぞ、いらっしゃい」そのおばあさんは、めんどうくさそうに立ちあがって言った。「こちらへどうぞ、ここからお入りください。これが切符です」

「なんの切符ですって?」

「入場代ですよ。ひとり十セント。おぼっちゃんは半額でけっこう」

パルミーロは、殺される寸前の牛のような痛々しい視線でぼくを見た。

「かわいそうなシンデレラ」彼はつぶやいた。「かわいそうな女王、天の美女。市場の見世物小屋で珍獣みたいなあつかいをされるとは!」

ぼくらは三ソルディを払って中に入った。正面に木でできた台があり、古いチュニス織(チュニジア特産の織物)の毛布がカーテンのようにか

バラックの前では、恐ろしい顔つきをした
おばあさんがいねむりしていた。

かっていた。小屋のすみでは、赤いフェズ帽（てっぺんから房が垂れ下がった、つばのない帽子）をかぶった男が、大蛇のように体のまわりをぐるりとめぐるくらい大きなラッパをかついで音楽の準備をしていた。

おばあさんは、機械みたいな声で説明を始めた。「これからお目にかけますのは、医者が『体ふくれ病』と呼ぶ病気の、もっとも美しい医学標本です。病気のため女性患者の手足はだんだんとふくれあがってゆきます。このケースでは、症状は下肢から始まって患者の胴体に向かって進行しています。ご自身の目でごらんください。それでは音楽を！」

息切れしているような音でラッパが鳴り、ギャロップのテンポでメロディが奏でられると、チュニス織のカーテンが開いて、ぼくらはそれを目にしたのだった。

赤いフェズ帽をかぶった男が、大蛇のように体のまわりをぐるりとめぐるくらい大きなラッパをかついで……

ああ、なんてことだ！　シンデレラ、あの美しい女王が、ジャスミンのように繊細で、陶器のようにもろく、朝の靄のようにはかないシンデレラが、まるで女性の頭をしたゾウかカバのようにしか見えなかった。たしかに顔はまだとても美しかった。でもほかの部分はふくれあがり、肌は灰色のしわとかさぶただらけでカシの老木の幹みたいにゴツゴツしていた。そして足は、シンデレラのか弱く小さな足、お菓子のように小さくて金細工師の作品のようにきれいな形をして、蝶の羽みたいに軽やかだった足、貴重な装飾品のように軽く、まるでバラ色の貝みたいだった足が、円柱の先についた、たこだらけのかたまりだなんて、だれにもわからないだろう。

「ごまかしじゃありません、近くに寄って見てもかまいませんよ」おばあさんは続けた。でもパルミーロのわら色の髪はすっかり逆立っていて、出口に後ずさりし、打ちひしがれて逃げだした。ぼくもがっかりして、あわてて彼を追いかけた。そしてあの元帥は、例の甲冑の中で釣り鐘の舌《ぜつ》のようにあちこちぶつかりつつ、どうにかこうにか追いつこうと走りながら、うしろのほうで叫んでいた。「おーい、おーい、牢屋にどうぞお越しください！」

ぼくらはわけもわからないまま走りつづけた。家並みを越えて、畑を越えた。はたから見ていた人がいたら、大事なマラソン大会にそなえて練習している長距離走の選手だと思っただろう。

ぼくはへとへとになって、息が切れ、涙がこぼれた。悲しみは大きくて、家庭教師に急に腹が立って、ますますかっかしてきた。でも、このまま彼をおいていくつもりにはなれなかった。ひとりきりになるのが怖かったから。ところがパルミーロは、ぼくのことなんてまったく気にかけていないみたいだった。

足が宙に上がったところをぼくにつかまれて、パルミーロは道にばったりと倒れて鼻を道に打ちつけた。それでようやく止まってくれた。

足が宙に上がったところをぼくにつかまれ……

「なにが望みだ」起きあがったパルミーロは、暗い声でたずねた。彼が上機嫌でないことはよくわかった。

「ぼくは、ぼくは、もう走れない。もういやだ、いやだ」

「いやいや、逃げるんだ。おぞましい光景から逃げるんだ！　ああ、わがシンデレラ、色白の美女、わが純な理想、わが世界の光、春の曙光のような、バラ色のユリのような足をした女王よ、いつかそのうち、あなたの鼻までふくれきってしまうなんて思ったら、いったい、どうしたらいいんだ！」

パルミーロのことばには、すすり泣きが混じっていた。ぼくも泣いていたけど、それはもうどうでもよくなったシンデレラのためではなくて、これ以上は先に進む力がなくなった自分のためだった。やがてパルミーロが魔法の靴を取りだして、ぼくらは片方ずつ履いた。そうして長い一歩と短い一歩を繰りかえして進んでいたが、とつぜん止まってしまった。

「エンストだ」ぼくが言うと、「機械の故障だ」とパルミーロは靴を見て言った。「ほら、底が抜けている」

たしかに靴底がすりへって、下から足が見えていた。

「じゃあ、どうなるの？」

「つまり、こうなればもう役に立たない、ってことさ」

「直せないの？」

「直すって、どうやって？　そこらへんの靴底をあてたところで、もう魔法はきかないだろう」

そして、パルミーロはむっとしたようすで、その場で立ちどまってぼくらを馬鹿にするみたいに見ていた犬の背中に、靴を投げつけた。


「じゃあ」パルミーロは言った。「行こう」

その命令を聞いて、ぼくはもうがまんできなくなった。

「いやだ、もういやだ、いやだ！」ぼくは叫んで両足を地面に突っぱった。

パルミーロはびっくりしてぼくを見た。これまでおとなしく従ってきたのに慣れていたので、こんな口答えされたのに驚いたんだろう。彼はそのうえ、さらに驚くことになった。「もういやだ。がまんできない。あてもなしに、目標もなく、フラフラさまようのにはもううんざり。疲れた。おなかがすいたし、のどはカラカラだ。怖いんだ。そう、恥ずかしいことじゃない、ぼくは怖いんだ。家に帰りたい。いつもの場所に戻りたい。楽しいわが家に戻りたいし、平和な場所がいいんだ。やさしい母さん、あったかくてふかふかのベッド、おいしいポレンタのある食卓、毎週日曜のお菓子がほしい。父さんにビンタされたって、算数の教科書で勉強して、試験、落第、補習……。清掃員見習いの公立学校だってかまわない。でも、あんたとフラフラさまようのはもういやだ！　もう行かない。もう行かないったら！」

「なんてやつだ！　もっと勇気を出せ、信じるんだ！」

「信じるって？　何を信じるの？　あんたが約束した魔法はどこにあるのさ？　あんなに魅力的だったあの輝きはどこに行ったの？　あんたは見たの？　力は失われて、財産は消えて、偉大さも野心もなくなって、有名人は落ちぶれた。どこもがっかりすることばかり！　幻滅して、がっかりすることばっかりだ！　どこも貧乏だし、真実はねじまげられているし、みじめな現実と、こけおどしや見せかけ、つまらないことだらけじゃないか！　あらゆるところで失敗ばっかりだ！」

パルミーロは、なだめるようにしゃべりだした。それは貧乏教会のオルガンみたいに震えるかすれ声だった。

「ああ、わが一番弟子よ。どうかつらい思いをさせないでおくれ。ひとりにしないでくれ。この先もついてきてくれ。いいかい、くすんだ黄金色の髪をした妖精をきっと見つけてあげると約束する」

「くすんだ黄金色でも光輝く黄金でも、そんなのどうでもいい！　でたらめな妖精とか、落ちぶれた英雄とか、追放された王様とか、これまでぼくをだましてきたほら話の引退した有名人のことなんてどうでもいいんだよ！　あんたが信じる神さまや女神さまたちが、みんなどんな姿をしていたのか見たでしょう？　人食い鬼は子守り役になってしまった。娘たちに恐れられていた青ひげは、だれの役にも立ちそうもない結婚斡旋所でお客さんを待っている。あんたが話してくれた大金持ちのアラジンは、いまは飢え死にしそうだったじゃないか。あのシンデレラは、いまじゃ見世物小屋の怪物だ。そのせいで、親類でもなんでもないのに、牢屋行きになりかけたんだ！

それで今度は、今度は、神経衰弱になった女王の不眠を治すために妖精を探しに行けっていうつもり？　そんなこと、もうしたくない。どうせがっかりするに決まっているんだ。妖精が見つかったとして、髪の毛は牛乳みたいに真っ白くて、爪は陶器のかけらのようで、どっかの公共宿泊所の門番でもしているんでしょう！」

それでも家庭教師は最後の望みにすがりついた。

「待ってくれ、待ってくれ」彼は言った。「売り子のおじいさんのクルミを割ってみようじゃないか。そこからなにが出るか見るがいい。妖精が出てくるさ。そうしたらきっと信じるだろうよ。捕まえる準備はいいか。ほら、逃がさないように気をつけて。注意していなさい」

そしてパルミーロは、ていねいにクルミを割った。でも、なにも出てこなかった。小さなほこりっぽい種が出てきただけだ。クルミも腐っていたんだ！

こうしてぼくらふたりは、完全に別れた。ぼくは父さんが待つ家に向けて出発することにして、パルミーロはふたたび冒険を求めて世界へ旅だった。
でも、パルミーロがそのあと工業学校の守衛になったことを知った。

ぼくはその後、家に帰る道をようやく見つけて、なんとか家に帰った。そうして家にたどりつくと、玄関で父さんが棒を振りあげて待ちかまえていた。トランプのクラブの絵柄みたいに太い棍棒だ。ぼくは遠くから父さんと棍棒を見て震えあがった。それでも、ひざまずいて「ごめんなさい」と謝って、「これからずっといい子でいます。一所懸命に勉強して、もう家出なん

……玄関で父さんが棒を振りあげて待ちかまえていた……

てしません」と泣きながら誓ったうえに、思いがけず母さんがとりなしてくれたおかげで、わが家にまた入れてもらえたんだ。

ぼくは、今度こそがんばろうと、やる気満々で学校に戻った。それから一年間、教科書とにらめっこで猛勉強した。そしてけっきょく、四度めの小学校卒業試験に落第した。

訳者あとがき

セルジョ・トーファノ『ぼくのがっかりした話』は、いまから百年ほどまえ、一九一七年九月三〇日から一〇月二八日まで、五回にわたって雑誌『コリエーレ・デイ・ピッコリ』に掲載されました。『コリエーレ・デイ・ピッコリ』は一九〇八年に創刊され、一九九六年まで八八年間にわたってイタリアの子どもたちに親しまれた絵入り週刊誌です。

シンデレラや赤ずきんといった、有名なおとぎ話のキャラクターが登場するユーモラスな物語に、著者トーファノ自身の手による挿絵がついています。単行本としては、一九二五年にモンダドーリ社から、一九七七年にエイナウディ社から、そして最近では二〇一八年にヌオーヴァ・フロンティア社から出版されていて、イラストはそれぞれ微妙に異なります。今回の翻訳にあたって、テキストはヌオーヴァ・フロンティア版を利用しましたが、『コリエーレ・デイ・ピッコリ』版の挿絵を再現することができました。

イタリア児童文学界におけるトーファノの位置づけ

落第生ベンヴェヌート少年のもとに、一三番めの家庭教師パルミーロ・メッザネッラがやってくることから話がはじまります。パルミーロは、勉強を教えるかわりにおとぎ話を聞かせる変わった青年でした。そのおとぎ話に夢中になったベンヴェヌートは、一歩で七リーグ（約四〜五キロメートル）進む魔法の長靴をパルミーロからうばいとって、おとぎの世界の探検にでかけます。しかしそこでベンヴェヌートが出会ったのは、菜食主義者になった人食い鬼、不眠に悩む眠れる森の美女、赤ずきんの家で下男として働くオオカミ、落ちぶれたアラジンなど、夢の世界とはかけはなれた日常世界で暮らす登場人物たちでした。ベンヴェヌートは、華やかなおとぎ話との違いにがっかりしながらも、後を追ってきた家庭教師といっしょになって、城を追い出されたシンデレラを救おうとします。

このころ作家トーファノが発表した作品は、ユーモア詩集『オルソラに寄せた恋愛詩』（一九一四〜一九一五）や、韻文による物語集『大道物語芸人の物語』、シュールな物語集『おやつにキャベツ』（いずれも一九二〇）、寓話集『レンズ豆の王女』（一九四五）などさまざまです。

共通しているのは、たくさんのパロディが盛り込まれた明るく愉快なストーリー、脚韻などを用いたリズミカルでナンセンスなことば遊びを特徴とする文体、そしてアールデコや未来派の影響を受けたモダンな挿絵です。

『ぼくのがっかりした話』も、その例外ではありません。さらに、子ども向けの物語によくある道徳や教訓が感じられないのも、トーファノの特徴のひとつです。物語は、夢の世界にがっかりした主人公が家に戻って、猛勉強したもののふたたび試験に落第するという「がっかり」で締めくくられます。

イタリアでわんぱく少年の登場するファンタジーといえば、まっさきにカルロ・コッローディ（一八二六〜一八九〇）の『ピノッキオの冒険』（一八八一〜一八八二）が思い浮かびます。勉強嫌いでわがままだった人形が、さまざまな経験を通じて成長して人間の男の子になるというピノッキオの物語に対して、トーファノの『ぼくのがっかりした話』は、そうした教養小説のモデルをからかっているかのようです。第二次世界大戦後では、ジャンニ・ロダーリ（一九二〇〜一九八〇）の作品、たとえば擬人化された野菜たちが登場する『チポリーノの冒険』（一九五一、邦訳一九五六、一九八七）や、ナンセンスファンタジー『うそつき国のジェルソミーノ』(一九五八、邦訳一九八五)も、わんぱく少年が活躍する小説としてよく知られており、そこにはトーファノ作品の影響がうかがえます。

著作の一方で、トーファノが挿絵画家としてほかの作家に提供した作品も数多くあります。そのなかには、『ピノッキオの冒険』の再版(一九二一)をはじめ、ジュゼッペ・ファンチュッリ(一八八一〜一九五二)の『トランプのお城』(一九三〇)のほか、魔術的リアリズモのマッシモ・ボンテンペッリ(一八七八〜一九六〇)の異世界ファンタジー『鏡の前のチェス盤』(一九二二、邦訳二〇一七)、戦後作家のイタロ・カルヴィーノ(一九二三〜一九八五)が都市労働者の生活を描いた『マルコヴァルドさんの四季』(一九六三、邦訳一九六八、一九七七、二〇〇九)のように、日本語に訳されたものもあります。

児童文学研究者であるピーノ・ボエーロとカルミネ・デ・ルーカは、セルジョ・トーファノを、一九世紀末のコッローディから二〇世紀後半のロダーリへと続くひとつの流れのなかに位置付けています。そこにはイタリア漫画の草分け的存在であるアントニオ・ルビーノ(一八八〇〜一九六四)や、ネオレアリズモ映画の脚本家チェーザレ・ザヴァッティーニ(一九〇二〜一九八九)とならんで、先に挙げたボンテンペッリ、ファンチュッリ、カルヴィーノらの名が並びます。

これらの作家は子ども向けの物語を書くときでも、知識や道徳教育より、自由な空想を広げて若い読者を楽しませようとしました。しかし、伝統的に教育的効果が優先されがちなイタリアの児童文学全体から見れば、こうした「娯楽」重視の系譜が主流だったわけではありません。子どもの読書はなによりも、大人の規則に従い軍隊や教師といった権威に敬意を払う「立派な国民」を形成するための教育手段でした。さらに、トーファノのような作家においては、ファンタジーを通じて社会規範に対してユーモアや皮肉に満ちた批判や疑念が向けられますが、これはすくなくとも第二次世界大戦後になるまでは珍しいことでした。

『ぼくのがっかりした話』が発表されたのは、第一次世界大戦のただなかのことです。一九一四年七月、サライェヴォ事件が引き金となり、連合国（フランス、ロシア、イギリス）と同盟国（ドイツ、オーストリア＝ハンガリー、トルコ）とのあいだで第一次世界大戦がはじまります。当初、イタリア王国は中立を表明していましたが、オーストリア領として残っていた「未回収のイタリア」の復帰を求めるナショナリストの活動によって、参戦論の立場が強くなっていきます。そしてとうとう一九一五年四月に領土回復を約束するロンドン秘密条約を連合国と結ぶと、五月に三国同盟を破ってオーストリアに宣戦します。

飛行機や戦車、毒ガスといった新兵器が登場した戦場は悲惨でした。オーストリア戦線の塹壕戦は長期化し、イタリア国内では、徴兵による人手不足、食糧難と物価高によって生活が苦しくなっていきます。

そんな時代に書かれた子ども向け読み物のなかには、女性作家コリンナ・テレーザ・ウベルティス（一八七四〜一九六四）の『ナイチンゲールの女王——ベルギーの少女』（一九一六）や、アルトゥーロ・ロッサート（一八八二〜一九四二）の『ジランドリーノの飛行機』（一九一六）、ヤンボのペンネームで知られる漫画家エンリーコ・ノヴェッリ（一八七四〜一九四三）の『チュッフェッティーノ、戦争に行く』（一九一六）のように、戦争を賛美し正当化するプロパガンダ的な冒険活劇が目立ちます。

さらに広く見れば、一八六一年のイタリア王国成立から、ヴェネト併合（一八六六）、ローマ占領（一八七〇）によって達成されたイタリア統一の歴史は、世紀末のアフリカ侵略（エチオピア戦争）と第一次世界大戦の対オーストリア戦を経て、一九二〇年代のムッソリーニのファシズムへと続きます。こうしたイタリアの状況下で児童文学は、たんに識字教育の手段であるのみならず、南北問題に見られる地域差と階級格差から生じる社会不和を克服する道徳教育と、愛国心を持った国民育成の役割を担うことになりました。それをよく表しているのが、ファシズムのスローガン「本とモスケット銃で、りっぱなファシスト」です。

このような社会情勢のなか、『ぼくのがっかりした話』においてトーファノは、教養小説的なおとぎ話をパロディにしてからかう一方で、現実世界の規律や確信も揺さぶり、物語のなかとはいえ、教師や軍人を皮肉ってみせるのです。

ブルジョワの家から挿絵画家、伝統喜劇俳優へ

じつはトーファノは、児童文学という枠に収まる存在ではありません。作家である以上に、挿絵画家、イラストレーターとして知られ、そして俳優、演出家、舞台監督として舞台、映画、テレビの世界で活躍した人でした。

セルジョ・トーファノは、一八八六年八月二〇日ローマで生まれました。父親エウジェニオはナポリ出身で、記者、弁護士を経験して司法官となり、エルヴィーラ・グエルチャと

結婚したのち、ローマに移って破棄院（最高裁判所）の検事総長を務めていました。セルジョは末っ子で、リリアーナ、ジルベルタの姉二人がいました。父方の祖父ジャコモ・トーファノは統一後のイタリア王国の上院議員、母方の祖父アルフォンソ・グエルチャはナポリの音楽学校サン・ピエトロ・ア・マイエッラ音楽院の院長でした。

セルジョは、ローマ大学在学中から演劇の道を志し、伝統喜劇コンメディア・デッラルテの陽気な二枚目役「ブリッランテ」に関する卒業論文で文学部を卒業すると、サンタ・チェチーリア音楽院の演劇学校に入学します。世襲制が強く残っていた芝居の世界で、ブルジョワ出身のセルジョは苦労しながら、ナポリ出身の演劇人エドゥアルド・ブテから芸術史、演技理論を学びました。

一方、絵画については独学ながら、早くから頭文字をもじったＳＴＯの名義でイラストレーターとして活動していました。演劇学校在学中の一九〇六年にヤンボことエンリーコ・ノヴェッリの風刺雑誌『プパッツェット』の挿絵を、一九〇八年には、ヴァンバことルイージ・ベルテッリ（一八五八～一九二〇）が創刊した子ども向け雑誌『ジョルナリーノ・デッラ・ドメニカ』の表紙を描いています。

一九〇九年、演劇学校を終えた二三歳のトーファノは、エンリーコ・ノヴェッリの紹介でその父親エルメーテ・ノヴェッリ（一八五一～一九一九）の劇団に入団し、舞台俳優としての経験を積んでいきます。その後、チェーザレ・ドンディーニ（一八六一～一九二二）の劇団を経て、一九一二年から一九二四年まではヴィルジリオ・タッリ（一八五八～一九二八）の劇団に、一九二四年から一九二七年までダリオ・ニッコデーミ（一八七四～一九三四）の劇団に加わりました。声や容姿の点ではけっして恵まれてはいなかったようですが、しだいに喜劇役者としての素質を見出され、控えめで優雅なスタイル、上品な笑いを引き出す演技が評価されるようになります。

二〇歳代から三〇歳代のトーファノは、こうして俳優として活躍しながら、本作『ぼくのがっかりした話』をはじめとする子ども向けの物語を発表していきました。

伝説のキャラクター「ボナヴェントゥーラさん」と反ファシズムの精神

一九二三年、トーファノはタッリの劇団で知り合った女優ロゼッタ・カヴァッラーリ（一九〇二～一九六〇）と結婚しました。ミラノ出身で、スカラ座でバレリーナ、舞台衣装係の経験のあるロゼッタは、舞台美術、衣装の面でもトーファノを支えた重要なパートナーとなり、一九二九年に長男ジルベルト（一九二九～二〇二〇）が誕生します。

一九二七年、四一歳となったトーファノは同世代のルイージ・アルミランテ（一八八六～一九六三）、ジュデッタ・リッソーネ（一八九五～一九七七）と劇団アルミランテ＝リッソーネ＝トーファノを結成、共同座長となりました。第二次世界大戦末期の混乱期の中断を挟んで、相手を変えながら、共同座長としての活動は戦後、一九六〇年代まで続きます。近代化の進むイタリア演劇においてトーファノは、ブリッランテ役を現代風に変えながら、ブレヒト、ピランデッロ、モリエールなど数々のレパートリーを演じました。

トーファノの名前は、「ボナヴェントゥーラ」というキャラクターと切り離すことはできません。一九一七年、『ぼくのがっかりした話』の最終話が掲載された一〇月二八日号の『コリエーレ・デイ・ピッコリ』に、もうひとつトーファノの作品が掲載されています。タイトルはありませんが、一面を八つに分割し、それぞれのコマの下に韻文を添えたこの「フメット」（イタリア語で漫画）こそ、トーファノが生み出した伝説的キャラクター、ボナヴェントゥーラさんの記念すべき初登場でした。

赤帽子と赤いフロックコート、白いズボンを身に着けたボナヴェントゥーラさんは、自分の家のバルコニーからとなりの家のジャスミンの花をつもうとして身を乗り出し、窓から落ちてしまいます。ところがその落ちた先は、盗んだ綿の袋を抱えて逃げていく泥棒の真上でした。こうして泥棒を捕まえたおてがらで、ボナヴェントゥーラさんは警察から表彰され、めでたしめでたしの結末となります。

　貧乏ながら人の好い主人公が、災難にあいながらも偶然のめぐり合わせで大金を手にするというシンプルな筋書き（ボナヴェントゥーラは「幸運」を意味します）は、子どもたちのあいだで大人気となりました。舞台俳優だったトーファノは、子ども向けの演劇として自らボナヴェントゥーラを演じて、さらにはその映画化の際には監督も務めることになります。「ボナヴェントゥーラ」シリーズが初めて舞台化されたのは一九二七年、雑誌掲載がはじまってから一〇年後のことでした。ファシズム体制が強化されるイタリア社会のなかで、トーファノは脚本、演出、そして主演俳優として、素朴なユーモアと自由なファンタジーの世界を子どもたちに届けようとしたのです。

　そうした彼の反ナチ・反ファシズムの精神は、物語のなかだけにとどまりません。一九三〇年代末には人種法によって迫害されていたユダヤ人の子どもたちのためにローマでボナヴェントゥーラの芝居を企画し、一九四三年一〇月一六日のナチス・ドイツによるゲットー襲撃の際には、知り合いのユダヤ人を家族で救ったこともありました。

トーファノが書いたボナヴェントゥーラの戯曲は、一九二七年から一九五三年まで、全部で六作にのぼります。とくに注目されるのは第二作の『追い出された女王――大使の使いボナヴェントゥーラ』です。家事仕事が大好きなためにお城から追い出される女王シンデレラ、胃を悪くして医者から肉食を禁じられた人食い鬼など、『ぼくのがっかりした話』と共通するモチーフが登場します。

映画の脚本・監督・主演、そして後進の指導に

一九三〇年代からトーファノは映画でも活躍し、カルロ・ルドヴィコ・ブラガーリア（一八九四～一九九八）の『市場か命か』（一九三三）や、ゴッフレード・アレッサンドリーニ（一九〇四～一九七八）の『二年B組』（一九三四）のようなコメディ映画に主演しました。一九四一年には、戯曲『追い出された女王――大使の使いボナヴェントゥーラ』を原作とし

た映画『シンデレラとボナヴェントゥーラさん』の脚本・監督を務め、一九四三年には、わんぱく小僧を主人公としたヴァンバの小説『ジャン・ブッラスカの日記』を映画化しています。

一九五一年から一九六九年まで国立演劇芸術アカデミーの教壇に立ってヴィットリオ・ガスマン（一九二二〜二〇〇〇）やモニカ・ヴィッティ（一九三一〜）ら次世代の俳優を育成し、一九六五年には自らの体験を通してイタリア演劇を記録した『古イタリア演劇』を執筆するなど、演劇人として後進の指導にも大きな役割を果たしました。晩年でもテレビドラマ、映画に出演は続いていましたが、一九七三年一〇月二八日、ローマで亡くなります。

この『ぼくのがっかりした話』は、俳優、監督、イラストレーター、そして児童文学作家と多方面で活躍したトーファノの原点となった作品だといえるでしょう。

そして本書はトーファノ作品のおそらく初めての邦訳となります。この個性的な作家を日本に紹介する貴重な機会を提供してくださった英明企画編集の松下貴弘さんに心よりお礼申し上げます。

セルジョ・トーファノ略年譜（邦題は仮題。作品一覧に邦題と原題を併記）

一八八六年
八月二〇日ローマで生まれる。父親エウジェーニオ・トーファノはナポリ出身、弁護士、判事を経験した破棄院検事総長。母親は同じくナポリ出身のエルヴィーラ・グエルチャ。二人の姉、リリアーナ、ジルベルタがいた。

一九〇六年（二〇歳）
ヤンボ（エンリーコ・ノヴェッリ）の雑誌『プパッツェット』付録に挿絵画家としてデビュー。

一九〇八年（二二歳）
ヴァンバ（ルイージ・ベルテッリ）の雑誌『ジョルナリーノ・デッラ・ドメニカ』の表紙を描く。

一九〇九年（二三歳）
演劇学校を卒業し、エルメーテ・ノヴェッリの一座に入団（〜一九一一）。このころ、ローマ大学文学部に、イタリア喜劇における「ブリッランテ」役に関する卒業論文を提出。

一九一一年（二五歳）
チェーザレ・ドンティーニの一座に入団（〜一九一二）。

一九一二年（二六歳）
ヴィルジリオ・タッリの一座に入団（〜一九二四）。

一九一四年（二八歳）
雑誌『レットゥーラ』に挿絵を寄稿。韻文と挿絵による『オルソラに寄せる恋愛詩』を雑誌『ヌーメロ』に連載（〜一九一五）。

一九一七年（三一歳）
九月三〇日から一〇月二八日まで雑誌『コリエーレ・デイ・ピッコリ』に『ぼくのがっかりした話』を連載。一〇月二八日、同誌に漫画『ボナヴェントゥーラさんの冒険』の初回を掲載。トリルッサ『元気なテレーザ』の挿絵を手掛ける。

一九二〇年（三四歳）　『おやつにキャベツ』、『大道物語芸人の物語』、『ボナヴェントゥーラさんの最新の冒険』を刊行。ジューヌ・ヴェルヌ『ラトン一家の冒険』の挿絵を手掛ける。

一九二一年（三五歳）　雑誌『コリエーレ・デイ・ピッコリ』に『元気なテレーザ』を掲載。カルロ・コッローディ『ピノッキオの冒険』の挿絵を手掛ける。

一九二二年（三六歳）　マッシモ・ボンテンペッリ『鏡の前のチェス盤』、ジュール・ルナール『博物誌』の挿絵を手掛ける。ピランデッロの『エンリーコ四世』に出演。

一九二三年（三七歳）　六歳年下の女優ロゼッタ・カヴァッラーリと結婚。

一九二四年（三八歳）　ダリオ・ニッコデーミの一座に入団（〜一九二七）。ピランデッロの『人それぞれに』、シェークスピアの『ロミオとジュリエット』などに出演。

一九二五年（四〇歳）

雑誌『コリエーレ・デイ・ピッコリ』に漫画『タッデーオとヴェネランダ』を掲載。『ぼくのがっかりした話』を刊行。ジュール・ロマンの戯曲『クノック、あるいは医学の勝利』の舞台に出演。

一九二七年（四一歳）

初めて共同座長となり、アルミランテ＝リッソーニ＝トーファノの一座を結成（〜一九三〇）。三月一七日、トリノのカリニャーノ劇場で初演された『ボナヴェントゥーラさんの不幸、ここに始まる』で主演。同作を刊行する。

一九二八年（四二歳）

二月二日、ローマのアルジェンティーナ劇場で初演された『追い出された女王——大使の使いボナヴェントゥーラ』で主演。一〇月七日から一一月一一日まで、『コリエーレ・デイ・ピッコリ』に同作を連載。

一九二九年（四三歳）

二月二八日、ローマのアルジェンティーナ劇場で初演された『怪しげな悪だくみ——ボナヴェントゥーラ対バルバリッチャ』で主演。

一九三〇年（四四歳）

戯曲集『ボナヴェントゥーラ演劇』を刊行（既刊の二編『ボナヴェントゥーラさんの不幸、ここに始まる』、『追い出された女王――大使の使いボナヴェントゥーラ』に『怪しげな悪だくみ――ボナヴェントゥーラ対バルバリッチャ』を加えた三篇を収録）。ジュゼッペ・ファンチュッリ『トランプの城』の挿絵を手掛ける。メルリーニ＝チマーラ＝トーファノの一座を結成（～一九三二）

一九三一年（四五歳）

ゴッフレード・アレッサンドリーニ監督の映画『個人秘書』で映画デビュー。

一九三二年（四六歳）

ピランデッロの『考えろ、ジャコミーノ』に出演。ヌンツィオ・マラソンマ監督の映画『電話交換手』に出演。

一九三三年（四七歳）

トーファノ＝リッソーネ＝デ・シーカの一座を結成（～一九三五）。エンメリッティ・ヴォイテック・エモ監督の映画『青あざの少女』、カール・ボエーゼ監督の映画『パプリカ』に出演。カルロ・ルドヴィコ・ブラガーリア監督『財布か命か』に主演。

一九三四年（四八歳）　ゴッフレード・アレッサンドリーニ監督の映画『二年B組』に出演。

一九三五年（四九歳）　トーファノ＝マルタリアーティ＝チェルヴィの一座を結成（〜一九三七）。

一九三六年（五〇歳）　『びっくりするような最新の六つの冒険におけるボナヴェントゥーラさん』を刊行。一月一八日、トリノのアルフィエーリ劇場で初演された『オウムの島――人食い人種に捕まったボナヴェントゥーラ』で主演。ボンテンペッリの『純真な女ミニー』などに出演。ヌンツィオ・マラソンマ監督の映画『ローエングリン』に出演。

一九三七年（五一歳）　『リボンのついた七つのおとぎ話』を刊行。トーファノ＝マルタリアーティの一座を結成（〜一九三七）。アムレート・パレルミ監督の映画『ふたりの人間嫌い』、オレステ・ビアンコリ監督の映画『今夜十一時に』に出演。

一九三八年（五二歳）　ヌンツィオ・マラソンマ監督の映画『七人姉妹』、アムレート・パレルミ監督の映画『ルチェーラ侯爵の子どもたち』、カミッロ・マストロチンクエ監督の映画『恋を発明しよう』、グイド・ブリニョーネ監督の映画『南十字の下』、マリオ・ボンナルド監督の映画『ジャンヌ・ドレ』に出演。

一九三九年（五三歳）

『オウムの島――人食い人種に捕まったボナヴェントゥーラ』を刊行。アムレート・パレルミ監督の映画『世紀の狂気』、マリオ・ボンナルド監督の映画『一晩だけのパパ』、グイド・ブリニョーネ監督の映画『離婚の驚き』、ロベルト・ロベルティ監督の映画『見えない共同経営者』に出演。

一九四〇年（五四歳）

トーファノ＝リッソーネ＝デ・シーカの一座を結成（～一九四二）。カルロ・ルドヴィコ・ブラガーリア監督の映画『ありえない家族』、カミッロ・マストロチンクエ監督の映画『一〇日間有効』、ラッファエッロ・マタラッツォ監督の映画『幕を下ろせ』、ジャコモ・ジェンティローモ監督の映画『大公女のお楽しみ』に出演。

一九四一年（五五歳）

映画『シンデレラとボナヴェントゥーラさん』を監督。ジョルジョ・アンソルディ監督の映画『ブダペストの恋』、フラヴィオ・カルザヴァーラ監督の映画

『ダブルブレストを着た紳士』に出演。

一九四二年（五六歳）『シンデレラとボナヴェントゥーラさん』を刊行。ジュリオ・デル・トッレ監督の映画『揺れる心』グイド・ブリニョーネ監督の映画『動揺』、カミッロ・マストロチンクエ監督の映画『仮面と顔』、カルロ・ルドヴィコ・ブラガーリア監督の映画『素行調査』、『正直者なら』に出演。

一九四三年（五七歳）トーファノ＝トッリエーリの一座を結成、チェーホフの『桜の園』などに出演。ヴァンバの小説『ジャン・ブラスカの日記』を原作とした映画『ジャン・ブラスカ』を監督。カルロ・ルドヴィコ・ブラガーリア監督の映画『妻の婚約者』、ニコラ・マンザリ監督の映画『第四面』に出演。

一九四五年（五九歳）『レンズ豆の王女とその他の話（レンズ豆抜き）』を刊行。ローマのクイリーノ劇場の一座に出演。

一九四六年（六〇歳）『フェリチェッタとフェリチーノ』を刊行。ローマのクイリーノ劇場の一座に入団（〜一九四七）、チェーホフの『桜の園』、ピランデッロの『作者を探す六人の登場人物』に出演。カミッロ・マストロチンクエ監督の映画『夢の騎士』に出演。

一九四七年（六一歳）
トーファノ＝トッリエーリの一座を結成。

一九四八年（六二歳）
一一月三〇日、ミラノのメディオラヌム劇場で初演された『獣医にされたボナヴェントゥーラ』で主演。アレッサンドロ・ブラゼッティ監督の映画『ファビオラ』に出演。

一九四九年（六三歳）
フィレンツェの五月音楽祭に出演。アダーニ＝トーファノ＝チマーラの一座を結成（〜一九五〇）。

一九五〇年（六四歳）
『ボナヴェントゥーラさんと仲間たち』、『ボナヴェントゥーラさんの数十億』、『ぼくはピッポ・ズゴッボーネ』を刊行。ミラノのピッコロ・テアトロに出演。ロベルト・アドルフ・シュテムレ監督の映画『我々は勝利した』に出演。

一九五一年（六五歳）『獣医にさせられたボナヴェントゥーラ』を刊行。ミラノのＲＡＩの一座に出演。ローマのテアトロ・エリゼオの一座でイプセンの『人形の家』に出演。カルロ・ボルゲジオ監督の映画『ナポレオン』に出演。

一九五二年（六六歳）ローマのスペッタトーリ・イタリアーニ・アッレ・アルティ一座でブレヒトの『肝っ玉おっ母とその子どもたち』に出演。アレッサンドロ・ブラゼッティ監督の『牧歌』、『炎』、ジュゼッペ・マジーニ監督の『不当判決』に出演。

一九五三年（六七歳）ローマの国立演劇アカデミーで教鞭を取る。二月二〇日ローマのサーティリ劇場で初演された『宮廷教師ボナヴェントゥーラ』で主演、同作を刊行。スペッタトーリ・イタリアーニ・アッレ・アルティ一座でマキャベリの『マンドラゴラ』に出演。カルミネ・ガッローネ監督の映画『プッチーニ』に出演。

一九五四年（六八歳）ルッジェーロ・ルッジェーリのピランデッロ巡業で『エンリーコ四世』に出演。ミラノのピッコロ・テアトロでゴルドーニの『避暑地三部作』、スペッタトーリ・

イタリアーニ・アッレ・アルティ一座でモリエーリの『守銭奴』に出演。ジャン・ボワイエ監督の映画『鐘の村』、ジョルジョ・パスティナ監督の映画『ランベルティーニ枢機卿』、カルミネ・ガッローネ監督の映画『カーサ・リコルディ』に出演。

一九五五年（六九歳）

カミッロ・マストロチンクエ監督の映画『フィレンツェにキスを』、ルイージ・コメンチーニ監督の映画『ローマ美人』、クレメンテ・フラカッシ監督の映画『アンドレ・シェニエ』に出演。

一九五六年（七〇歳）

ジュール・ロマンの戯曲『クノック、あるいは医学の勝利』に出演。レナート・カステッラーニ監督の映画『引き出しの中の夢』に出演。

一九五七年（七一歳）

テレビドラマ『高慢と偏見』に出演。

一九五九年（七三歳）

ヴィットリオ・ガスマンが創設したイタリア芸術座に出演。テレビドラマ『白痴』に出演。

一九六〇年（七四歳）
芝居から引退するが、国立演劇アカデミーでの指導とテレビ出演を続ける。
妻ロゼッタがうつ病で自殺。

一九六一年（七五歳）
トリノのテアトロ・スタービレ（常設劇場）に出演。ドゥイリオ・コレッティ監督の映画『ポッジョレアーレの王』に出演。

一九六三年（七七歳）
イタロ・カルヴィーノ『マルコヴァルドさんの四季』の挿絵を手掛ける。

一九六四年（七八歳）
『ボナヴェントゥーラさんの九十九の物語』を刊行。パスクァーレ・フェスタ・カンパニーレ監督の映画『かげろうの詩』、テレビドラマ『ドン・ジェズアルド親方』に出演。リナ・ウェルトミューラー監督のテレビ連続ドラマ『ジャン・ブラスカの日記』に出演。

一九六五年（七九歳）
演劇論集『古イタリア演劇』を刊行。ローマの劇場テアトロ・エリゼオの一座に出演。テレビの連続ドラマ『メグレ警部』に出演。

一九六六年（八〇歳）
プロクレーメル＝アルベルタッツィの一座に出演。テレビドラマ『モンテクリスト伯』に出演。

一九六七年（八一歳）
ナンニ・ロイ監督の映画『一家の主人（あるじ）』、テレビドラマ『いいなづけ』に出演。

一九六八年（八二歳）
ベルナルド・ベルトルッチ監督の映画『ベルトルッチの分身』、テレビドラマ『我が監獄』に出演。テレビの連続ドラマ『メグレ警部』に出演。

一九六九年（八三歳）
『あのかわいそうな、元気なテレーザ』を刊行。マリオ・モニチェッリ監督の映画『ああ、おばあさんが亡くなった』、テレビドラマ『カラマーゾフの兄弟』に出演。

一九七〇年（八四歳）
ルイージ・ザンパ監督の映画『いっせい抗議』に出演。

一九七一年（八五歳）
テレビでピランデッロの『考えろ、ジャコミーノ』に出演。

一九七三年（八七歳）
ネーロ・リージ監督の映画『汚辱の柱』、パスクァーレ・フェスタ・カンパニーレ監督の映画『ルガンティーノ』に出演。一〇月二八日ローマで没。

セルジョ・トーファノ作品一覧

小説・戯曲など

『オルソラに寄せる恋愛詩』*Rime d'amore a Orsola*, "Numero," 1914-15; Bemporad, 1936.

『ぼくのがっかりした話』（本書）*Il romanzo delle mie delusioni*, "Corriere dei Piccoli," 1917; Mondadori, 1925; Einaudi, 1977; La Nuova Frontiera, 2018.

『大道物語芸人の物語』*Storie di cantastorie*, Vitagliano, 1919-1920; Bemporad, 1923; Rizzoli, 1974; Adelphi, 1991, 2008.

『おやつにキャベツ』*Cavoli a merenda*, Vitagliano 1920; Bemporad, 1923; Rizzoli, 1974; Adelphi, 1990, 2008.

『ボナヴェントゥーラさんの最新の冒険』*Ecco l'ultima avventura del signor Bonaventura*, Vitagliano, 1920.

戯曲『ボナヴェントゥーラさんの不幸、ここに始まる』*Qui comincia la sventura del signor Bonaventura*, Madella, 1927; in Teatro di Bonaventura, Edizioni Alpes, 1930; Rizzoli, 1953, 1974 (in cofanetto con I cavoli a merenda e Storie di cantastorie).

『追い出された女王——大使の使いボナヴェントゥーラ』*La regina in berlina con Bonaventura staffetta dello ambasciatore*, "Corriere dei Piccoli," nn. 41, 42, 43, 44, 45, 46; 6 puntate dal 7 ottobre all'11 novembre 1928.

戯曲『追い出された女王——大使の使いボナヴェントゥーラ』*La regina in berlina con Bonaventura staffetta dello ambasciatore*, Alpes, 1930; Rizzoli, 1951.

戯曲『怪しげな悪だくみ——ボナヴェントゥーラ対バルバリッチャ』*Una losca congiura, ovverosia Barbariccia contro Bonaventura*, in *Teatro di Bonaventura*, Edizioni Alpes, 1930; Rizzoli, 1952; Emme Edizioni 1980.

『びっくりするような最新の六つの冒険におけるボナヴェントゥーラさん』*Il signor Bonaventura nelle sue ultime sei impressionanti avventure*, Società Nestlé, 1936.

戯曲『オウムの島——人食い人種に捕まったボナヴェントゥーラ』*L'isola dei pappagalli con Bonaventura prigioniero degli antropofagi*, Garzanti, 1939; Rizzoli, 1952; Genova-

Verona, Ed. del Teatro di Genova-Anteditore D.E.T., 1975.

『リボンのついた七つのおとぎ話』*Sette favole con i fiocchi*, Bemporad, 1937; Marzocco, 1946; Giunti Marzocco, 1981.

『シンデレラとボナヴェントゥーラさん』*Cenerentola e il signor Bonaventura*, Istituto editoriale cisalpino, 1942.

『レンズ豆の王女とその他の話（レンズ豆抜き）』*La principessa dalle lenticchie e altri racconti (senza lenticchie)*, Reda, 1945; Adelphi, 2002.

『フェリチェッタとフェリチーノ』*Felicetta e Felicino son sorella e fratellino e con lor la gallinelle che Felicita s'appella*, Istituto Geografico De Agostino, 1946.

『ボナヴェントゥーラと仲間たち』*Bonaventura e C.*, Signorelli, 1950.

『ボナヴェントゥーラの数十億』*I miliardi di Bonaventura*, A. Mondadori, 1950.

『ぼくはピッポ・ズゴッボーネ』*Io sono Pippo Sgobbone*, A. Mondadori, 1950.

戯曲『獣医にされたボナヴェントゥーラ』*Bonaventura veterinario per forza*, Rizzoli, 1951.

戯曲『宮廷教師ボナヴェントゥーラ』*Bonaventura precettore a corte*, Cultura Sociale, 1953.

『ボナヴェントゥーラさんの九十九の物語』*Novantanove storie del signor Bonaventura*, Milano, Garzanti, 1964.

『古イタリア演劇』*Il teatro all'antica italiana*, Rizzoli, 1965; Bulzoni, 1985; Adelphi, 2017

『あのかわいそうな、元気なテレーザ』*Quella povera Vispa Teresa*, Garzanti, 1969.

戯曲集（アレッサンドロ・ティンテッリ編）『ボナヴェントゥーラ演劇』*Il Teatro di Bonaventura*, Milano, Adelphi, 1986.

挿絵

トリルッサ『元気なテレーザ』Trilussa (Carlo Alberto Salustri), *La vispa Teresa*, Carra, 1917.

ジューヌ・ヴェルヌ『ラトン一家の冒険』Giulio Verne, *La straordinarie avventure di una famiglia di topi*, Carra, 1920.

カルロ・コッローディ『ピノッキオの冒険』Carlo Collodi, *Le avventure di Pinocchio*, Milano, Libreria Editrice, 1921.

ジュール・ルナール『博物誌』Jules Renard, *Storie naturali*, Sonzogno, 1922.

マッシモ・ボンテンペッリ『鏡の前のチェス盤』*La scacchiera allo specchio*, Bemporad, 1922; 光文社古典新訳文庫、二〇一七。

ジュゼッペ・ファンチュッリ『トランプの城』Giuseppe Fanciulli, *Il castello delle carte*, Società editrice internazionale, 1930.

イタロ・カルヴィーノ『マルコヴァルドさんの四季』Italo Calvino, *Marcovaldo ovvero Le stagioni in città*, Einaudi, 1963; Mondadori, 2011; 岩波少年文庫、一九七七、二〇〇九。

参考文献

Pino Boero, Carmine De Luca, *La letteratura per l'infanzia*, Laterza, 2009.

Antonio Faeti, *Guardare le figure: Gli illustratori italiani dei libri per l'infanzia*, Donzelli, 2011.

Pamela Micheli, *Sergio Tofano e il surrealismo all'italiana*, Sette Città, 2013.

Lindsay Myers, *Making the Italians: Poetics and Politics of Italian Children's Fantasy*, Peter Lang, 2012.

セルジョ・トーファノ（Sergio Tofano 1886～1973）

イタリアの俳優、演出家、挿絵画家、漫画家。1909年に役者デビュー、複数の劇団の共同座長を務め、国立演劇学校で後進の指導にあたるなど、戦前から戦後まで舞台、映画、テレビで活躍。洗練されたユーモアを特徴とする「ブリッランテ」役を得意とした。STOのペンネームで挿絵を手がけ、1917年に雑誌『コリエーレ・デイ・ピッコリ』に発表した漫画『ボナヴェントゥーラさんの冒険』のシリーズが大人気となる。『ぼくのがっかりした話』は、カルロ・コッローディからジャンニ・ロダーリに至るファンタジー文学の系譜に属する貴重な作品。

橋本勝雄（はしもと・かつお）

1967年生まれ。京都大学文学部卒業、同大学大学院博士後期課程単位取得退学。現在、京都外国語大学教授。訳書に『イタリア語の起源――歴史文法入門』（パトータ）、『イタリア20世紀史――熱狂と恐怖と希望の100年』（コラリーツィ、共訳）、『プラハの墓地』（エーコ）〈第2回須賀敦子翻訳賞受賞〉、『鏡の前のチェス盤』（ボンテンペッリ、トーファノ画）、『19世紀イタリア怪奇幻想短篇集』などがある。

シリーズ再生の文学

ぼくのがっかりした話

Il romanzo delle mie delusioni

Racconto piuttosto lungo

発行日 ――― 2021年8月30日

著　者 ――― **セルジョ・トーファノ**

訳　者 ――― **橋本勝雄**

発行者 ――― 松下貴弘

発行所 ――― 英明企画編集株式会社

〒604-8051 京都市中京区御幸町通船屋町367-208

電話 075-212-7235

https://www.eimei-information-design.com/

印刷・製本所 ― モリモトト印刷株式会社

Published by Eimei Information Design, Inc.

Printed in Japan　ISBN 978-4-909151-31-5